기초 녹애리 ... 결책

THIS IS
READING

Starter

1

THIS IS READING Starter 1

지은이 김태연
펴낸이 임상진
펴낸곳 (주)넥서스

출판신고 1992년 4월 3일 제311-2002-2호 ⑥
10880 경기도 파주시 지목로 5
전화 (02) 330-5500 팩스 (02) 330-5555
ISBN 979-11-89432-19-5 54740
        979-11-89432-18-8 (SET)

www.nexusEDU.kr
www.nexusbook.com

기초 독해의
확실한 해결책

THIS IS READING

김태연 지음

Starter

1

NEXUS Edu

PREFACE

저는 초등학교, 중학교 다닐 때를 생각하면 떠오르는 게 파인애플과 팝송, 그리고 영어책입니다. 아빠가 출장 다녀오시면서 자주 사다 주셨던 파인애플을 먹으면서 영어로 된 노래를 듣고 따라 부르거나 영어책을 읽는 게 참 좋았거든요. 귀로는 팝송을 들으면서 따라 부르고, 눈으로는 영어로 된 재미있는 동화, 소설, 이야기들을 읽으면서 상상 속에 푹 빠져있던 시간이 꾸준히 쌓여 저의 영어 실력을 만들어준 것 같아요.

영어를 잘하게 돼서 나중에 뭐가 되면 좋을까? 라고 생각하는 것도 참 즐거웠어요. 어떤 때는 영어 선생님이 되고 싶었다가 아나운서가 되고 싶기도 했고, 방송 진행자가 되고 싶다는 생각도 들었어요. 또 어떤 때는 영어로 기사를 쓰는 기자가 되면 어떨까? 아니야, 영어로 소설을 쓰는 작가가 되는 것도 멋지겠는데? 하면서 제 꿈은 끊임없이 바뀌었어요. 그렇지만 영어를 잘해서 제가 하고 싶은 일을 멋지게 잘하는 사람이 되고 싶다는 막연한 상상은 매일 했던 것 같아요. 그러면서 영어책을 아주 많이 읽었죠. 영어 전문가가 되어 다양한 영어 관련 책을 쓰고, 영어 방송 프로그램을 진행하며, 전국의 선생님들과 학부모님들, 그리고 학생들에게 영어를 잘 가르치는 방법 및 영어를 잘할 수 있는 방법을 강의하러 다니는 실력을 만들어 준 비결은 영어책을 꾸준히 읽었던 거라고 믿어요.

영어 독해를 할 때는 늘 추측하고 상상하는 자세를 가지세요. 제목이나 교재에 있는 삽화와 사진, 그림을 보면서 지문의 내용이 뭘까 추측해보고, 모르는 단어가 나와도 앞뒤 문맥을 생각하면서 이 단어의 뜻이 뭘까를 생각해보세요. 그리고 지문의 내용을 머릿속에서 그림을 그려 상상해보면서 내용을 기억하고, 그 내용에 들어있는 단어의 의미를 연결해서 뜻을 기억하도록 하세요. 그리고 여러분만의 단어노트를 만들어 정리하는 것도 좋아요. 또한 지문을 읽을 때 눈으로만 보는 것보다는 소리를 내어 읽으면서 독해를 하는 것이 듣기 실력까지 높일 수 있는 효과적인 방법입니다.

〈THIS IS READING Starter〉 시리즈에 실린 다양한 주제의 지문을 읽으면서 내용을 이해하고, 문제를 풀고, 지문 안에 들어있는 어휘들을 외우면서, 영어를 아주 완벽히 잘하게 되었을 때 여러분이 뭘 하고 싶은지 꿈을 꾸어보세요. 〈THIS IS READING Starter〉 시리즈가 여러분의 영어 실력을 높여주는 동시에 여러분의 미래 목표를 이룰 수 있는 막강한 힘을 길러줄 것입니다.

꾸준히 성실하게 노력하면서도 즐겁고 행복하게 지내는 하루하루가 쌓이면 여러분의 멋진 미래가 선물처럼 다가올 것입니다. 꿈을 꾸고 노력하세요. 그러면 그 꿈은 꼭 이루어질 것이라 믿어요.

〈EBS 대표 영어 프로그램 진행자〉 김태연

초등부터 중등까지 모든 독해의 확실한 해결책

THIS IS
READING
Starter

호기심을 자극하는
Preview 어휘 문제와 배경 지식 제공

어휘력을 효과적으로 키워주는
이미지 & 문장 완성 어휘 문제

다양한 주제를 통한
흥미로운 독해 지문

내신과 불수능을 미리미리 대비하는
유형별 독해 문제

독해 탄탄의 기초, 어휘력을 향상시키는
Words Review & Workbook

➕ 추가 제공 자료

MP3 듣기   어휘 리스트   어휘 테스트지   모바일 단어장   VOCA TEST

정답 확인   온라인 받아쓰기   지문 스크립트

MP3 듣기
모바일 단어장
VOCA TEST

www.nexusEDU.kr
www.nexusbook.com

FEATURES

01

지문 내용과 관련된 그림문제를 미리 풀어 보면서 흥미를 유발하고 배경 지식을 통해 지문을 좀 더 쉽게 이해할 수 있습니다.

02

독해의 기본이 되는 어휘를 이미지를 통해 미리 학습하고, 간단한 예시 문장을 통해 기본 어휘를 효과적으로 암기할 수 있고 지문 내용의 이해가 쉽도록 도와줍니다.

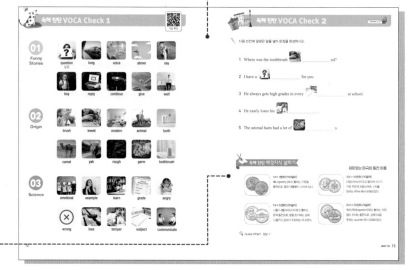

03

건강, 음식, 사회, 과학, 심리, 환경, 역사, 상식, 직업, 그리고 재미있는 표현이나 이야기 등을 통해 독해의 배경지식 습득은 물론 학습자가 흥미를 잃지 않도록 도와줍니다. 또한 QR코드로 지문의 내용을 원어민 발음으로 확인할 수 있습니다.

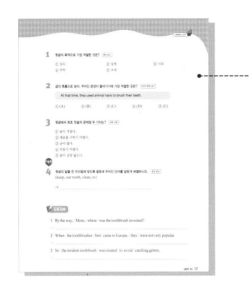

04

다양한 독해 유형 문제풀이를 통해 내신 대비는 물론 수능 독해의 기초까지 잡아줍니다. 직독직해 문제를 통해 영어 문장을 영어의 어순에 맞게 해석하고 분석하는 능력을 키울 수 있습니다.

각 Unit에서 다룬 어휘를 다시 한 번 정리해 볼 수 있습니다. 영영풀이 문제를 통해 어휘의 정확한 의미를 파악하고 영어식 사고력을 높일 수 있습니다.

Unit별로 구성되어 있는 워크북에서는 영-한, 한-영 문제로 학습한 어휘를 최종적으로 확인하고, 문맥을 통해 어휘를 추론해 봄으로써 문장 완성 능력 및 독해 실력을 향상시킬 수 있습니다.

CONTENTS

🔍 다음 중 20센트짜리 사탕을 구매할 수 있는 것은 무엇일까?

A

B

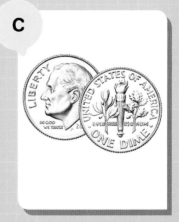

C

정답 확인

01 Funny Stories

question
질문

long

voice

above

say

boy

reply

continue

give

wait

02 Origin

brush

invent

modern

animal

tooth

camel

yak

rough

germ

toothbrush

03 Science

emotional

example

learn

grade

angry

wrong

lose

temper

subject

communicate

 다음 빈칸에 알맞은 말을 넣어 문장을 완성하시오.

1 Where was the toothbrush ＿＿＿＿＿＿＿＿ed?

2 I have a ＿＿＿＿＿＿＿＿ for you.

3 He always gets high grades in every ＿＿＿＿＿＿＿＿ at school.

4 He easily loses his ＿＿＿＿＿＿＿＿.

5 The animal hairs had a lot of ＿＿＿＿＿＿＿＿s.

 독해 탄탄 **배경지식 넓히기**

재미있는 미국의 동전 이름

1¢ = 1센트(1/100달러)
페니(penny)라고 불리는 구릿빛 동전으로, 링컨 대통령이 그려져 있다.

10¢ = 10센트(1/10달러)
다임(dime)이라고 불리며 크기가 가장 작은데, 프랑스어로 1/10을 뜻하는 dîme 에서 유래되었다.

5¢ = 5센트(1/20달러)
니클/니켈(nickel)이라고 불리는 은색 동전으로, 발행 초기에는 실제 니켈(Ni) 금속이 주조하는 데 쓰였다.

25¢ = 25센트(1/4달러)
쿼러/쿼터(quarter)라고 불리는 가장 많이 쓰이는 동전으로, 실제 1/4을 뜻하는 quarter 에서 유래되었다.

🔍 Guess What?　정답: C

"Dear God, I have a question for you. Could you tell me exactly _____(A)_____ a million years is?" A deep voice from above said, "A million years is like one minute." "I see ... " said the boy. "Then could you tell me _____(B)_____ a million dollars is?" The deep voice came back with the reply, "A million dollars is like one penny." "Well," the boy continued. "I see, then could you please give me just one of those pennies?" "Just wait a minute!" the deep voice answered back.

1 윗글의 빈칸 (A)와 (B)에 들어갈 말로 가장 적절한 것은? 빈칸 완성

(A)		(B)
① when	.....	how old
② how old	.....	what time
③ what time	.....	how often
④ how much	.....	how long
⑤ how long	.....	how much

2 윗글의 밑줄 친 부분의 뜻으로 가장 적절한 것은? 의미 파악

① 잠시만 기다려라.　　　　② 1년 동안 기다려라.

③ 100년 동안 기다려라.　　④ 1만 년 동안 기다려라.

⑤ 100만 년 동안 기다려라.

3 윗글의 분위기로 가장 적절한 것은? 글의 분위기

① sad　　　　　② scary　　　　　③ lively

④ funny　　　　⑤ peaceful

 직독직해

1 Dear God, / I have / a question / for you.

→ _____

2 A million years / is like / one minute.

→ _____

3 Could you please / give me / just one / of those pennies?

→ _____

02

Origin

지문 MP3
모바일 단어장

"Phillip! Did you brush your teeth?" "Okay, Mom. I'll do it now. By the way, Mom, where was the toothbrush invented?" Do you know the answer? Well, you may want to know. (A) Actually, today's modern toothbrush has its origin in northern China and Mongolia a thousand years ago. (B) The animal hairs were often from horses, camels, and yaks. (C) Those animal hairs were quite rough. So when the toothbrushes first came to Europe, they were not very popular. (D) People also found out that the animal hairs had a lot of germs or bacteria in them. (E) So the modern toothbrush was created 우리의 치아를 깨끗하게 유지하기 위해서 and also avoid catching germs.

1 윗글의 목적으로 가장 적절한 것은? [목적 찾기]

① 설득 ② 설명 ③ 사과
④ 부탁 ⑤ 초대

2 글의 흐름으로 보아, 주어진 문장이 들어가기에 가장 적절한 곳은? [주어진 문장 넣기]

At that time, they used animal hairs to brush their teeth.

① (A) ② (B) ③ (C) ④ (D) ⑤ (E)

3 윗글에서 최초 칫솔의 문제점 <u>두 가지</u>는? [세부 사항]

① 솔이 거칠다.
② 재료를 구하기 어렵다.
③ 균이 많다.
④ 만들기 어렵다.
⑤ 솔이 금방 닳는다.

서술형

4 윗글의 밑줄 친 우리말에 맞도록 괄호에 주어진 단어를 알맞게 배열하시오. [문장 완성]
(keep, our tooth, clean, to)

→ _____

직독직해

1 By the way, / Mom, / where / was the toothbrush invented?

→ _____

2 When / the toothbrushes / first / came to Europe, / they / were not very popular.

→ _____

3 So / the modern toothbrush / was created / to avoid / catching germs.

→ _____

Science

지문 MP3
모바일 단어장

IQ stands for intelligence quotient, and EQ stands for emotional quotient. But there is little relation between them. Someone with a high IQ doesn't mean that he or she has a high EQ. Let me give an example. Samuel has a high IQ. He is very smart and always remembers things easily and learns quickly. Undoubtedly, he always gets high grades in every subject at school. On the other hand, he isn't good at noticing feelings: his own or other people's. So it isn't easy for him to make good relationships with friends or other people around him. He easily loses his temper and gets angry when things go wrong. He doesn't understand other people well either, so he is not good at communicating with them.

*quotient: 지수, 비율

1 윗글의 요지로 가장 적절한 것은? 〔요지 찾기〕

① IQ와 EQ가 높은 사람의 성격   ② IQ와 EQ가 낮은 사람의 성격

③ IQ와 EQ의 공통점   ④ IQ가 높은 사람들의 특징

⑤ IQ와 EQ의 연관성

2 윗글에서 EQ가 높은 사람들의 특징은? 〔세부 사항〕

① 쉽게 화를 낸다.
② 기억력이 뛰어나다.
③ 수줍음을 많이 탄다.
④ 친구를 사귀는 것이 어렵다.
⑤ 다른 사람의 기분을 이해할 수 있다.

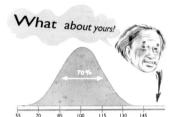

3 윗글의 밑줄 친 <u>stands for</u>와 뜻이 같은 단어는? 〔어휘〕

① understands   ② means   ③ learns

④ feels   ⑤ makes

 직독직해

1 Someone / with a high IQ / doesn't mean / that / he or she / has a high EQ.

→ _____

2 On the other hand, / he / isn't good / at noticing / feelings.

→ _____

3 It isn't easy / for him / to make good relationships / with friends.

→ _____

Words Review

Answers p.03

01

dear	친애하는, 경애하는	question	물음, 질문	exactly	정확히
million	백 만	deep	깊은	voice	음성, 목소리
above	위에서	like	~와 같은	minute	1분
come back	되돌아오다	reply	응답, 대답	penny	1페니, 1센트
continue	계속하다				

02

by the way	그런데	invent	발명하다	actually	실제로, 사실
modern	현대의	origin	기원, 발생, 유래	northern	북쪽의
at that time	그 당시에	camel	낙타	yak	야크
quite	꽤, 아주, 상당히	rough	거친	popular	인기 있는
find out	알게 되다	germ	세균	bacteria	박테리아
create	만들다, 발명하다	avoid	피하다	catch	(병에) 걸리다

03

stand for	뜻하다, 나타내다	emotional	감정적인	relation	관계
example	예, 예시	undoubtedly	확실히	subject	과목
notice	알아채다	lose one's temper	발끈하다	go wrong	잘못되다
be good at	~를 잘하다	communicate	소통하다		

다음 설명에 해당하는 단어를 보기에서 찾아 쓰시오. 영영풀이

보기	germ	rough	notice	emotional	reply

1 _____ relating to your feelings 감정과 관계 있는

2 _____ having an uneven or irregular surface 표면이 울퉁불퉁하고 불규칙한

3 _____ an answer or reaction to something 어떤 것에 대한 대답이나 반응

4 _____ to see or hear something and become aware of it 어떤 것을 보거나 듣고 그것을 인식하다

5 _____ a very small living thing that can make you ill 병을 일으키는 매우 작은 생물체

다음 중 친구에게 줄 선물로 '우정'을 의미하는 장미꽃은 무엇일까?

A

B

C

01 Interesting Facts

rose
장미

jealousy

friendship

think

sunny

warmth

different

love

purpose

cheer up

02 Travel

fountain

famous

throw

history

coin

legend

hear

collect

money

poor

03 Origin

glass

add

weight

favorite

pharmacy

careful

cavity

create

mixture

soft drink

다음 빈칸에 알맞은 말을 넣어 문장을 완성하시오.

1 The meaning is really _____ now.

2 Today they are usually a sign of happiness and _____ .

3 Many people _____ coins into the fountain every day.

4 The first glass of Coke was bought at a _____ .

5 If you drink too much of it, you may get a _____ .

독해 탄탄 배경지식 넓히기

장미 색에 따른 다양한 의미

Red Roses
사랑, 로맨스

Orange Roses
열정, 욕망

Yellow Roses
시기, 질투, 이별, 우정, 기쁨

Purple Roses
영원한 사랑

Blue Roses
불가능, 기적, 천상의 사랑

Pink Roses
동정, 상냥함, 감사, 우아함

White Roses
순결, 존경, 비밀, 순진, 진실한 사랑

Guess What? 정답: B

01

Interesting Facts

In the past, yellow roses were a symbol of jealousy. However, the meaning is really different now. Today they are usually a sign of happiness and friendship. Because of their color, they make people think about a bright sunny day. Those feelings bring warmth and happiness! Yellow roses are ⓐ_____ from red roses because they are just a symbol of friendship, not love or romance. People usually give yellow roses to good friends. Their purpose is to cheer up their friends when they are ⓑ feeling down.

1 윗글에서 언급된 노란 장미의 과거와 현재 의미끼리 알맞게 짝지어진 것은? [세부 사항]

       과거   현재

① 질투 ····· 우정
② 행복 ····· 질투
③ 우정 ····· 행복
④ 정열 ····· 질투
⑤ 사랑 ····· 정열

서술형

2 빈칸 ⓐ에 알맞은 말을 윗글에서 찾아 한 단어로 쓰시오. [빈칸 완성]

→ _____

3 윗글의 밑줄 친 ⓑ와 뜻이 같은 단어는? [어휘]

① jealous   ② romantic   ③ proud
④ sad   ⑤ happy

직독직해

1 Because of / their color, / they / make / people / think about / a bright sunny day.

→ _____

2 They / are just / a symbol / of friendship, / not / love or romance.

→ _____

3 Their purpose / is to cheer up / their friends / when / they are feeling down.

→ _____

02

Travel

지문 MP3
모바일 단어장

Have you heard of 'Trevi Fountain'? It's the most famous fountain in Rome. It is famous not only for its beauty, but also for its 'Coin Throwing' legend. (A) There are many legends about throwing coins into the Trevi Fountain. (B) The most famous ⓐ one is this; if you throw a coin into it, you'll surely return to Rome someday. (C) According to another legend, if you throw two coins into the fountain, you will get married soon. (D) So many people throw coins into the fountain every day. (E) In fact, around $3,500 is collected from it each day!

* Trevi Fountain: 트레비 분수

1 트레비 분수에 관한 전설로 윗글에서 언급된 것은? 세부 사항

① 분수에 동전을 넣으면 다시 로마로 온다.
② 분수에 동전을 넣으면 부자가 된다.
③ 분수에 동전을 넣으면 오래 산다.
④ 분수에 동전을 넣으면 자신의 소원이 이루어진다.
⑤ 분수에 동전을 넣으면 지위가 높아진다.

2 글의 흐름으로 보아, 주어진 문장이 들어가기에 가장 적절한 곳은? 주어진 문장 넣기

> That is a part of its history and folklore.

① (A)　　　　　② (B)　　　　　③ (C)　　　　　④ (D)　　　　　⑤ (E)

서술형

3 밑줄 친 ⓐ가 가리키는 것을 윗글에서 찾아 한 단어로 쓰시오. 지칭 추론

→ _____

서술형

4 다음 설명에 해당하는 단어를 윗글에서 찾아 한 단어로 쓰시오. 영영풀이 어휘

> a structure that pushes water up into the air

→ _____

🖊 직독직해

1 It is famous / not only / for its beauty, / but also / for its 'Coin Throwing' legend.

→ _____

2 If / you / throw two coins / into the fountain, / you / will get married / soon.

→ _____

3 Many people / throw coins / into the fountain / every day.

→ _____

03

Origin

지문 MP3
모바일 단어장

Are you thirsty? What do you want to drink now? What's your favorite drink? Do you know what soft drink is the most popular all over the world? That's right! It's Coca-Cola. But do you know who invented it? It was first invented in 1886, in Atlanta, Georgia, by John Pemberton. He wanted to create an energy drink with no alcohol in it. People at that time believed that carbonated water was good for their health. So he added ⓐ it to a syrup mixture. The syrup mixture was made from the coca plant and the kola nut. He told people that it would cure diseases. But nobody has proved that yet. The first glass of Coke was bought at a pharmacy in Atlanta for 5 cents on May 8, 1886. Today it's really popular and continues to be the best-selling drink all around the world. But be careful! If you drink too much of it, you may get cavities and gain weight.

* carbonated: 탄산이 든
** cavity: 충치

1 윗글의 요지로 가장 적절한 것은? 요지 찾기

① 코카콜라의 기원
② 코카콜라 가격의 변천사
③ 코카콜라 회사의 이력
④ 코카콜라의 주원료
⑤ 코카콜라와 건강과의 관계

2 코카콜라에 대한 윗글의 내용과 일치하지 <u>않은</u> 것은? 내용 불일치

① 다량 섭취하면 충치가 생길 수 있다.
② 조지아 주에 사는 John Pemberton이 발명했다.
③ 발명 당시 많은 사람이 질병 치료 효과를 보았다.
④ 코카와 콜라나무 열매 추출물로 시럽을 만들었다.
⑤ 처음 시판되었을 때 약국에서 한 잔당 5센트에 판매되었다.

3 윗글의 밑줄 친 ⓐ it이 가리키는 것으로 가장 적절한 것은? 지칭 추론

① coca plant
② a kola nut
③ Coca-Cola
④ carbonated water
⑤ syrup mixture

직독직해

1 Do you know / what soft drink / is the most popular / all over the world?

→ _____

2 He / wanted / to create / an energy drink / with no alcohol / in it.

→ _____

3 People / at that time / believed that / carbonated water / was good for / their health.

→ _____

Words Review

Answers p.04

01

symbol	상징	jealousy	질투	however	그러나
different	다른	sign	표시, 상징	happiness	행복
friendship	우정	bright	밝은	warmth	따뜻함
romance	사랑, 연애	purpose	목적	cheer up	격려하다

02

famous	유명한	beauty	아름다움	coin	동전
throw	던지다	legend	전설	folklore	민속, 전설
surely	확실히	someday	언젠가	get married	결혼하다
in fact	사실	around	약	collect	모으다

03

soft drink	청량음료	popular	인기 있는	invent	개발하다
mixture	혼합물	cure	치료하다	disease	질병
prove	증명하다	pharmacy	약국	continue	계속하다
careful	주의하는	cavity	충치		

다음 설명에 해당하는 단어를 보기에서 찾아 쓰시오. 영영풀이

보기	collect	symbol	cure	popular	continue

1 _____ a picture or shape that has some meaning or idea 어떤 의미나 생각이 담긴 그림이나 모양

2 _____ to get things from different places 여러 장소에서 물건들을 얻다

3 _____ liked or enjoyed by many people 많은 사람들이 좋아하고 즐기는

4 _____ to not stop doing something 어떤 것을 하는 것을 멈추지 않다

5 _____ to make illness go away 병이 사라지게 하다

03

1 **FUNNY STORIES**
엄마가 되기 위한 시험

2 **MYTH**
트로이 목마와 컴퓨터 바이러스

3 **HEALTH**
벌에 쏘였을 때는?

그리스가 트로이를 함락시키기 위해 만든 구조물은 다음 중 어떤 동물을 닮았을까?

A

B

C

독해 탄탄 VOCA Check 1

정답 확인

01
Funny
Stories

| mouth 입 | daughter | hand | dirty | full |

| walk | fail | smile | ask | test |

02
Myth

| war | wooden | horse | gift | soldier |

| gate | city | destroy | helpful | data |

03
Health

| sting | bee | itchy | burn | spot |

| needle | skin | soap | pain | allergic |

 다음 빈칸에 알맞은 말을 넣어 문장을 완성하시오.

1 I was taking a walk with my 4-year-old _____.

2 The Trojans accepted the  _____.

3 The Greek _____s came out and opened the gates.

4 I got stung by a _____!

5 You may feel _____.

독해 탄탄 배경지식 넓히기

트로이 전쟁

그리스 신화에 따르면, 트로이 전쟁은 트로이의 왕자 파리스가 고대 그리스의 도시인 스파르타의 왕비 헬레나를 납치하면서 일어난 것으로 헬레나를 찾기 위해 그리스 군대가 트로이를 공격했다. 그러나 트로이의 성벽이 너무 강해서 그리스는 10년 동안 성벽을 뚫는 데 성공하지 못했다. 그러던 중, 그리스의 묘책으로 거대한 목마를 만들어 트로이 진영에 두었고, 트로이 군대는 이를 승리의 전리품으로 여겨 성 안에 들이게 되었다. 계획대로 목마 안에 숨어 있었던 그리스 병사들이 한밤중에 나와 성문을 열고 트로이의 왕을 죽여 승리했고, 이에 헬레나도 그리스로 돌아올 수 있었다. 이 전쟁은 단순히 그리스 신화의 전설 중 하나로 여겨졌으나 관련 유적들이 19세기에 발굴되면서 실제 있었던 사건으로 전해지기도 한다.

Guess What? 정답: B

Funny Stories

지문 MP3
모바일 단어장

One day, I was taking a walk with my 4-year-old daughter. She picked something up, and put it into her mouth. I held her hands and said, "_____" She asked me why not. I told her that it was dirty and was full of horrible germs. She looked at me with a big smile and said, "Wow, Mom! ⓐ How do you know all of that?" I said, "Every mother knows these things. Uhh, it's called the 'Mommy Test'. ⓑ 만약 네가 그 대답을 모르면, you can't become a mommy." Then she said, "Oh, I got it! So if you fail the test, you have to be a daddy!"

1 윗글의 빈칸에 들어갈 말로 가장 적절한 것은? [빈칸 완성]

① Try some!　　　② Don't drop it!　　　③ Don't be late!
④ Don't do that!　　⑤ Smile brightly!

2 윗글의 밑줄 친 ⓐ가 뜻하는 것으로 가장 적절한 것은? [내용 이해]

① 엄마가 되는 것은 쉽다.
② 나도 엄마처럼 되고 싶다.
③ 엄마가 대답을 알 리가 없다.
④ 엄마가 모든 것을 알다니 놀랍다.
⑤ 엄마가 모든 것을 아는 것은 당연하다.

서술형

3 윗글의 밑줄 친 ⓑ와 일치하도록 괄호에 주어진 단어를 알맞게 배열하시오. [문장 완성]
(know, if, don't, you, the answer)

→ _____

4 윗글의 마지막 부분에서 느낄 수 있는 글의 분위기는? [글의 분위기]

① sad　　　　② worried　　　③ excited
④ happy　　　⑤ humorous

직독직해

1 She / picked something up, / and / put it / into her mouth.
→ _____

2 I told her / that / it / was full of / horrible germs.
→ _____

3 If / you fail / the test, / you / have to be / a daddy!
→ _____

02

Myth

지문 MP3
모바일 단어장

Have you heard of the Trojan Horse? It came from the Trojan War between Greece and Troy. During the war, the Greek army offered a big wooden horse to the Trojans as a <u>gift</u>. The Trojans accepted the gift, but they didn't realize that there were Greek soldiers ＿＿＿＿＿ inside the horse! When the Trojans went to sleep that night, the Greek soldiers came out and opened the gates to the city for the Greek army. Before long, the Trojan army was destroyed and the Greeks won the war. These days, it is also famous as a name of a computer program. It seems to be helpful, but actually destroys data.

1 윗글의 내용과 일치하는 것은? [내용 일치]

① 트로이 전쟁에서 트로이가 승리했다.
② 트로이 목마는 그리스군이 만들었다.
③ 트로이군이 트로이 목마를 그리스에게 주었다.
④ 트로이 전쟁은 그리스와 로마 사이에서 일어났다.
⑤ 트로이 전쟁에서 두 편 모두 피해가 컸다.

2 윗글의 밑줄 친 gift와 뜻이 같은 단어는? [어휘]

① skill   ② talent   ③ sword
④ magic   ⑤ present

3 윗글의 빈칸에 들어갈 말로 가장 적절한 것은? [빈칸 완성]

① sleeping   ② fighting   ③ winning
④ hiding   ⑤ losing

직독직해

1 It / came / from the Trojan War / between / Greece and Troy.

→ _____

2 During the war, / the Greek army / offered / a big wooden horse / to the Trojans / as a gift.

→ _____

3 It / seems to / be helpful, / but / actually / destroys data.

→ _____

03

Health

지문 MP3
모바일 단어장

"Oh, my god, I got stung by a bee!" When you get stung by a bee, it's really painful. _____(A)_____ you may feel itchy, and then it begins to burn. Usually a red spot will appear on that area, and the skin around it turns white. If you get stung by a bee, you should tell your teacher or parents right away. They will need to take the bee's needle out of your body as soon as possible. Then wash the skin with soap and water. If it still hurts, or feels hot, you can put ice on it. _____(B)_____, if the pain is really bad, you should take an aspirin, or other painkillers. It helps make the pain go away. Some people are allergic to bee stings. If you are allergic to them, then you need to see a doctor underline{immediately}!

* aspirin: 아스피린

1 윗글에서 벌에 쏘였을 때 해야 할 일이 <u>아닌</u> 것은? 내용 불일치

① 벌침을 뺀다.
② 상처 부위를 비누로 씻는다.
③ 더운 물로 찜질한다.
④ 아스피린을 복용한다.
⑤ 의사를 찾아간다.

2 윗글의 빈칸 (A)와 (B)에 들어갈 말로 가장 적절한 것은? 빈칸 완성

	(A)		(B)
①	And	····	But
②	Now	····	Then
③	Once	····	Later
④	At first	····	Finally
⑤	Again	····	After all

3 윗글의 밑줄 친 **immediately**와 뜻이 같은 것은? 어휘

① slowly   ② carefully   ③ only once
④ right away   ⑤ mostly

직독직해

1 When / you get stung / by a bee, / it's really painful.

➞ _____

2 If / it still hurts, / or feels hot, / you / can put ice / on it.

➞ _____

3 It / helps / make / the pain / go away.

➞ _____

Words Review

Answers p.06

01

daughter	딸	pick	줍다	put	넣다, 놓다
hold	잡다	dirty	더러운	horrible	끔찍한
germ	세균	fail	실패하다		

02

during	～ 중에	army	군대	offer	제공하다
wooden	나무로 만든	gift	선물	accept	받다
realize	깨닫다	soldier	군인	hide	숨다
destroy	파괴하다	seem	～처럼 보이다		

03

sting	(침으로) 쏘다	painful	고통스러운	itchy	가려운
burn	화끈거리다	spot	지점, 부위	turn	변하다
right away	즉시	needle	바늘, 침	as soon as possible	가능한 한 빨리
hurt	아프다	take	(약을) 복용하다	aspirin	아스피린, 진통제
painkiller	진통제	allergic	알레르기가 있는	immediately	즉시

✏️ 다음 설명에 해당하는 단어를 보기에서 찾아 쓰시오. 영영풀이

| 보기 | itchy | pick | sting | accept | hide |

1 _____ to receive or take something 어떤 것을 받거나 용납하다

2 _____ to put yourself in a place that cannot be found 발견되지 않는 장소에 들어가 있다

3 _____ to remove something from a place 어떤 곳에서 어떤 것을 제거하다

4 _____ to make a small hole in your skin and you feel a sharp pain
피부에 작은 구멍을 내어 예리한 통증을 일으키다

5 _____ having a feeling on your skin that makes you want to scratch
피부를 긁고 싶은 느낌이 나는

다음 중 헤라클레스의 어릴 적 모습을 가장 잘 묘사한 것은 무엇일까?

A

B

C

01 Myth

 dead 죽은

 hold

 god

 alive

 poisonous

 hero

snake

 idea

 surprise

 return

02 Funny Stories

 doctor

 embarrassing

 pill

 enter

fart

 smell

take

 cured

 prescription

soundless

03 Animals

 environment

 creature

 hunt

 laboratory

 fur

 experiment

 care

clothes

 pleasure

 protect

 다음 빈칸에 알맞은 말을 넣어 문장을 완성하시오.

1 His father was a _____.

2 He was holding the two _____ snakes.

3 It's so _____.

4 Animals are living _____s like us.

5 Many animals are killed in _____ experiments.

독해 탄탄 배경지식 넓히기

헤라클레스 – 그리스·로마 신화의 최고의 영웅

헤라클레스는 올림포스 12신 중 하나인 제우스와 인간인 알크메네 사이에서 태어난 반신반인의 데미갓(demigod)이다. 그는 종종 가장 힘이 센 영웅으로 묘사가 되는데, 괴물은 물론 다른 신들마저 두 손으로 가볍게 제압했다. 불행하게도 그가 성공하길 바라지 않았던 의붓어머니인 헤라의 모략으로 자신의 가족을 야수로 착각하여 살해했는데 죗값을 치르기 위해 미케네의 왕국의 에우리스테우스 왕 밑에서 10년간 12개의 과제를 수행해야 했다. 과제를 끝낸 후에 그는 죽어서 영혼은 올림포스로 가고 육신은 별자리가 되었는데 제우스가 그를 하늘로 거두어 불멸을 누릴 수 있게 신으로 만들었다. 신이 된 후에도 그는 여러 전투에 참여하여 영웅으로 활약했다.

🔍 Guess What? 정답: C

01

Myth

지문 MP3
모바일 단어장

Who was the greatest hero in Greek mythology? Do you ⓐ <u>know</u> the answer? The greatest hero of Greek mythology was Hercules. Hercules ⓑ <u>was</u> the son of the greatest Greek god, Zeus. His father was a god, but his mother was just a regular human being. Unluckily, his step-mother Hera didn't like him. Because Zeus ⓒ <u>had</u> many other wives and children, Hera was under a lot of stress and ⓓ <u>wanted</u> the demigod to die. One day, she threw two poisonous snakes into Hercules's bed to kill him. However, her idea failed. When she ⓔ <u>returns</u> to his bed, she was really _____. "Oh, my god! Why is he still moving?" Hercules was still alive. And (A) <u>he was holding the two dead snakes</u>, one in each hand!

*Greek mythology: 그리스 신화
**demigod: 반신반인

1 윗글의 내용과 일치하는 것은? 내용 일치

① 헤라클레스의 어머니는 인간이다.
② 헤라클레스는 의붓어머니의 사랑을 받았다.
③ 헤라클레스는 아버지가 키웠다.
④ 헤라클레스는 다른 집으로 입양되었다.
⑤ 헤라클레스는 애완동물로 뱀을 키웠다.

2 윗글의 빈칸에 들어갈 말로 가장 적절한 것은? 빈칸 완성

① proud ② satisfied ③ happy
④ surprised ⑤ worried

3 윗글의 ⓐ~ⓔ 중 어법상 틀린 것은? 어법

① ⓐ ② ⓑ ③ ⓒ ④ ⓓ ⑤ ⓔ

4 윗글의 밑줄 친 (A)가 뜻하는 것으로 가장 적절한 것은? 내용 이해

① 헤라는 헤라클레스에게 죽은 뱀을 선물했다.
② 헤라클레스는 죽은 뱀 때문에 슬퍼했다.
③ 헤라클레스는 헤라의 장난감 뱀이 마음에 들었다.
④ 헤라클레스는 뱀을 죽일 만큼 강했다.
⑤ 헤라클레스는 뱀으로부터 치명적인 공격을 받았다.

직독직해

1 Who / was / the greatest hero / in Greek mythology?

→ _____

2 One day, / she / threw / two poisonous snakes / into Hercules's bed / to kill him.

→ _____

3 He / was holding / the two dead snakes, / one in each hand!

→ _____

02

Funny Stories

지문 MP3
모바일 단어장

One day, an old woman went to see a doctor. She told the doctor about her problem. "I don't know what to do. I fart all the time, but they're soundless and they have no smell. It's so embarrassing. I think I have some kind of problem. Please tell me what to do." "Okay. Here's a prescription, Mrs. Bennet. Take these pills three times a day for seven days. And please come back to see me after a week." A week later, Mrs. Bennet entered the doctor's office. "Doctor Harris, please tell me about the pills. After I _____, the problem got worse! I fart just as much, but now they smell terrible! What's the reason?" "Calm down, Mrs. Bennet," said the doctor softly. "Your nose is cured. Now let's work on your hearing!"

1 윗글에서 약을 먹고 베넷 부인에게 일어난 변화로 알맞은 것은? [세부 사항]

① 방귀 횟수가 더 늘어났다.
② 방귀 냄새가 더 심해졌다.
③ 냄새를 맡을 수 있게 되었다.
④ 귀가 더 잘 들리게 되었다.
⑤ 방귀 횟수가 더 줄어들었다.

2 윗글의 마지막 부분에서 베넷 부인이 느꼈을 심경으로 알맞은 것은? [심경 추론]

① angry　　　② embarrassed　　　③ curious
④ sad　　　⑤ afraid

3 문맥상 윗글의 빈칸에 들어갈 내용으로 가장 알맞은 것은? [빈칸 추론]

① stopped farting
② waited for two weeks
③ listened to the doctor
④ took those pills
⑤ drank some water

직독직해

1 I think that / I have / some kind of problem.

→ _____

2 Please tell me / what to do.

→ _____

3 Take these pills / three times / a day / for seven days.

→ _____

03

Animals

지문 MP3
모바일 단어장

Do animals have the same rights as humans? Many people think that they can use animals as much as possible for their needs.

(A)

Therefore, we should treat animals with respect and care, and we also have to take more action ⓐ 동물의 왕국을 보호하기 위해서.

(B)

Furthermore, some animals are used to make clothes or other products such as accessories or household items. Because we can make clothes from other materials, using animal furs is unnecessary. Animals are living creatures like us, and they play an important role in the environment.

(C)

First of all, a lot of people hunt animals for ⓑ pleasure. Is hunting really necessary? People also use animals for medical and scientific experiments. About 115 million animals are killed in laboratory experiments around the world yearly.

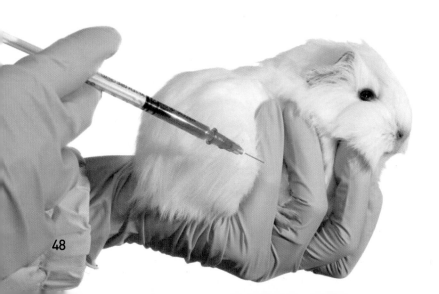

1 윗글 (A), (B), (C)의 순서로 가장 적절한 것은? 글의 순서 정하기

① (A) – (C) – (B)   ② (B) – (A) – (C)   ③ (B) – (C) – (A)
④ (C) – (A) – (B)   ⑤ (C) – (B) – (A)

2 윗글에서 동물이 불필요하게 사용되는 예가 <u>아닌</u> 것은? 내용 불일치

① 실험용   ② 애완용   ③ 사냥
④ 옷 만들기   ⑤ 집안 용품

3 윗글의 밑줄 친 ⓐ와 같은 뜻이 되도록 주어진 단어를 알맞게 배열하시오. 문장 완성
(kingdom, protect, the, to, animal)

→ _____

4 윗글의 밑줄 친 ⓑ pleasure와 뜻이 같은 단어는? 어휘

① study   ② enjoyment   ③ food
④ exercise   ⑤ treatment

📝 **직독직해**

1 Many people / think that / they / can use / animals / as much as possible / for their needs.

→ _____

2 Some animals / are used / to make clothes / or other products.

→ _____

3 Animals / are living creatures / like us, / and / they / play an important role / in the environment.

→ _____

Words Review

Answers p.08

01

hero	영웅	mythology	신화	god	신
regular	평범한	human being	인간	poisonous	독성의
fail	실패하다	alive	살아있는	dead	죽은

02

problem	문제	fart	방귀(끼다)	soundless	소리 없는
smell	냄새	embarrassing	부끄럽게 하는	prescription	처방전
pill	알약	terrible	끔찍한	reason	이유
cured	치료된	hearing	청각		

03

right	권리	possible	가능한	needs	필요, 요구
treat	대하다, 처리하다	respect	존경	care	보살핌
action	행동	protect	보호하다	furthermore	더욱이
product	제품	accessory	액세서리	household	가정의
item	물건	fur	(동물의) 털	unnecessary	불필요한
living	살아있는	creature	생물	play a role	역할을 하다
important	중요한	environment	환경	pleasure	즐거움
necessary	필요한	medical	의학의	scientific	과학의
experiment	실험	laboratory	실험실		

✏️ 다음 설명에 해당하는 단어를 보기에서 찾아 쓰시오. 영영풀이

보기	environment	regular	reason	problem	possible

1 _____ something wrong with your health or with part of your body
건강이나 몸에 이상이 있는 것

2 _____ normal or usual 보통의, 일상적인

3 _____ why something happens or why someone does something
어떤 것이 발생하고, 누군가가 어떤 행동을 하는 원인

4 _____ able to happen or exist 발생하고 존재할 수 있는

5 _____ the natural world 자연 세계

Guess What?

다음 중 이슬람 문화에서 하면 안 되는 손동작은 무엇일까?

A

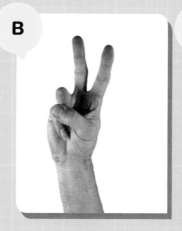

B

C

독해 탄탄 VOCA Check 1

01 Health

tip
조언, 비법

sleep

stress

frown

save

reduce

worry

reason

charity

greed

02 School Life

student

postpone

habit

promise

finish

get up

impossible

concentrate

work

library

03 Expressions

language

movement

gesture

facial expressions

difficulty

same

country

wave

palm

foreign

 다음 빈칸에 알맞은 말을 넣어 문장을 완성하시오.

1 Get more sleep and reduce _____.

2 Smile more and _____ less.

3 Make a _____ to yourself.

4 They go to a _____.

5 Be careful when you use body _____ in foreign countries.

독해 탄탄 배경지식 넓히기

의미가 다른 세계 여러 나라의 보디랭귀지

1 코를 두드리는 것은 영국에서 '비밀'이란 뜻이고, 이탈리아에서는 '조심해'라는 뜻이다.

2 많은 라틴 아메리카의 나라에서는 방향을 가리킬 때 입술을 사용한다.

3 북미와 유럽에서는 다리를 꼬고 앉는 것이 흔한 일이지만, 아시아에서는 무례한 행동으로 여긴다.

4 상대방의 눈을 똑바로 쳐다보고 대화하는 것은 스페인이나 아랍 문화에서 흔한 일이나 일본이나 핀란드에서는 상대방을 불편하게 하는 행동이다.

5 엄지손가락을 올리는 것은 많은 문화에서 'okay'를 의미하지만, 프랑스에서는 숫자 1을 의미하고, 이슬람 문화에서 강한 욕설로 여겨진다.

Guess What? 정답: C

01

Health

지문 MP3
모바일 단어장

Here are some tips to be healthier!

1. Get more sleep and reduce stress. More sleep, less stress!

2. Smile more and frown less. Do you know that frowning takes more energy than smiling? It's true, so save your energy and use that energy to do 당신이 원하는 것!

3. Practice more and think less. _____, don't get stressed or worry; just do it!

4. Say good words instead of bad. Give others a reason to smile, too!

5. Think of others before you think of yourself, more charity and less greed. Money cannot buy true happiness!

*charity: 자선, 너그러움
**greed: 욕심

1 건강해지는 조언으로 윗글에서 언급되지 <u>않은</u> 것은? 　내용 불일치

① 미소를 많이 지어라.
② 걱정하지 말고 실천해라.
③ 많이 베풀고 욕심을 줄여라.
④ 나쁜 말 대신 좋은 말을 해라.
⑤ 매일매일 시간을 정해 놓고 운동을 해라.

2 윗글의 빈칸에 들어갈 말로 가장 적절한 것은? 　빈칸 추론

① Because　　　② Although　　　③ If
④ In other words　　　⑤ Before

서술형

3 윗글의 밑줄 친 우리말과 일치하도록 괄호에 주어진 단어를 알맞게 배열하시오. 　문장 완성

(want, what, you)

→ _____

🖋 직독직해

1 Here are / some tips / to be healthier!

→ _____

2 Give / others / a reason / to smile.

→ _____

3 Money / cannot buy / true happiness.

→ _____

02

School Life

지문 MP3
모바일 단어장

One of the biggest problems of many students is that they postpone too often. They avoid doing the work that they need to do until the last minute. It is a very common problem. Then how can you change this bad habit? Here are a few tips. Decide which work is most important, and do that first. Make a promise to yourself to finish a certain job by a certain time. If you have a big job to do, break it up into a few smaller jobs. It won't seem so impossible then! Find a place where you can concentrate on your work. Some students can't work well at home, _____, so they go to a library when they have a big job to do. And most of all, once you find the best system for you, stick to it!

1 윗글의 주제로 가장 적절한 것은? 주제 찾기

① 일을 빨리 처리하는 방법
② 우선순위를 정하는 방법
③ 아침에 일찍 일어나면 좋은 점
④ 미루지 않고 일을 끝내는 법
⑤ 학생들이 가진 가장 큰 고민

2 윗글에서 글쓴이의 조언으로 언급되지 <u>않은</u> 것은? 내용 불일치

① 특정 시간 내 일 끝내기
② 큰일을 작은 단위로 쪼개기
③ 가장 중요한 일 먼저 끝내기
④ 일이 가장 잘 되는 장소 찾기
⑤ 여러 가지 일을 하나로 묶어서 하기

3 윗글의 빈칸에 들어갈 말로 가장 적절한 것은? 빈칸 완성

① again   ② also   ③ for example
④ then   ⑤ overall

 직독직해

1 One / of the biggest problems / of many students / is / that / they postpone / too often.

→ _____

2 Make a promise / to yourself / to finish / a certain job / by a certain time.

→ _____

3 If / you have / a big job / to do, / break it up / into a few smaller jobs.

→ _____

Expressions

지문 MP3
모바일 단어장

(A)

Another example is the Korean hand gesture for "Come here." In Korea, people wave their hand with their palm down to do this. That gesture, however, could mean "Go away!" in the US. Therefore, be careful when you use body language in foreign countries.

(B)

In some countries, the meaning of certain signs are the same or similar. However, sometimes the same body language in different countries can mean completely different things! For instance, in Bulgaria, they shake their heads from side to side to say "yes." In Korea and most western countries that gesture would mean "no!"

(C)

When you want to express something without saying a word, you may use body language. Body language is nonverbal communication through movements, gestures, or facial expressions. It's quite useful and helpful especially when you have some kind of difficulties in communication.

* nonverbal: 말을 사용하지 않는

1 윗글에서 나라에 따라 의미가 바뀌는 보디랭귀지의 예로 언급된 것은? [세부 사항]

① 고개 젓기   ② 손가락으로 V 표시하기   ③ 팔짱 끼기
④ 윙크하기   ⑤ 어깨 으쓱거리기

2 윗글 (A), (B), (C)의 순서로 가장 적절한 것은? [글의 순서 정하기]

① (A) – (B) – (C)   ② (B) – (A) – (C)   ③ (B) – (C) – (A)
④ (C) – (A) – (B)   ⑤ (C) – (B) – (A)

서술형

3 윗글을 읽고, 보기에 주어진 말을 이용하여 다음 요약문을 완성하시오. [요약문 완성하기]

보기   shaking   expresses   communication   wave   signs

Body language is a useful means of _____. It _____ what you want in an effective way. In some countries, however, the meanings of certain _____ are considered to be the same or different. _____ one's head from side to side means "yes" in some countries like Bulgaria, but means "no" in other countries like Korea. If you _____ your hand with your palm down, it means "come here" in Korea, but "go away" in America.

직독직해

1 In Korea, / people / wave their hand / with their palm down / to do this.

→ _____

2 Be careful / when / you use / body language / in foreign countries.

→ _____

3 When / you want / to express something / without saying a word, / you may use / body language.

→ _____

Words Review

Answers p.10

01

tip	조언, 팁	reduce	줄이다	stress	스트레스
frown	찡그리다	take	필요하다	save	아끼다
practice	실천하다	think	생각하다	in other words	다시 말해서
worry	걱정하다	instead of	~ 대신에	reason	이유
charity	자선	greed	욕심	happiness	행복

02

postpone	미루다	avoid	피하다	last minute	마지막 순간
common	흔한	habit	습관	important	중요한
promise	약속	certain	어떤	break up	쪼개다
impossible	불가능한	concentrate	집중하다	library	도서관
system	체계	stick to	~을 고수하다		

03

example	예, 예시	gesture	몸짓	wave	흔들다
palm	손바닥	therefore	그러므로	language	언어
foreign	외국의	certain	특정한	different	다른
completely	완전히	for instance	예를 들어	shake	흔들다
communication	의사소통	movement	움직임	facial	얼굴의
expression	표현	helpful	도움 되는	especially	특히
difficulty	어려움				

다음 설명에 해당하는 단어를 보기에서 찾아 쓰시오. 영영풀이

보기	greed	postpone	save	communication	habit

1 _____ to use less money, time or energy 돈, 시간, 에너지를 덜 사용하다

2 _____ a strong desire for more food, money or power 더 많은 음식, 돈, 권력에 대한 강한 욕심

3 _____ to decide that something will be done at a later time
어떤 것을 나중에 처리하기로 결정하다

4 _____ something that you do regularly 규칙적으로 하는 일

5 _____ the act of expressing your ideas, thoughts, or feelings
당신의 아이디어, 생각, 느낌을 표현하는 행동

다음 중 왼손잡이가 사용하기에 편리한 물건은 무엇일까?

A

B

C

01 Interesting Facts

right
오른쪽의

left

use

writing

know

teach

people

polar bear

instead of

live

02 Geography

dictionary

lake

fresh

salt

surround

connect

ocean

surface

cover

volume

03 Funny Stories

paint

wall

ceiling

senior

proud

light bulb

gravity

waste

turn off

fall

 다음 빈칸에 알맞은 말을 넣어 문장을 완성하시오.

1 All  _____s are left-handed.

2 Lake is a large area of water _____ed by land.

3 The Caspian Sea used to be _____ed to the ocean.

4 I am very _____ of you.

5 _____ the light, please!

독해 탄탄 배경지식 넓히기

믿거나 말거나, 왼손잡이에 관한 재미있는 사실

1 세계 인구의 약 90%가 오른손잡이다.

2 오른손잡이가 왼손잡이보다 10~12% 정도 더 높은 소득을 얻는다.

3 남자가 왼손잡이일 확률이 여성이 왼손잡이일 확률보다 약 20% 더 많다.

4 일반인보다 쌍둥이에게 왼손잡이를 발견한 확률은 두 배가 넘는다.

5 테니스, 권투, 야구(투수의 경우)에서 왼손잡이가 오른손잡이보다 우위를 갖는다.

6 왼손잡이는 유전적으로 물려받을 수 있지만, 신장이나 지능처럼 확연한 것은 아니다.

7 왼손잡이가 오른손잡이보다 정신 질환이 있을 확률이 더 높다.

Guess What? 정답: A (왼손잡이용 키보드)

01

Interesting Facts

지문 MP3
모바일 단어장

Are you right-handed or left-handed? If you use your right hand for eating or writing, you are right-handed. (A) _____, if you use your left hand basically, you are a left-handed person. Most people are right-handed, as we all know. And we are taught to use the right hand more than the left hand when eating or writing in Korea. Did you know that right-handed people on average live nine years longer than left-handed people? Speaking of left-handed people, all polar bears are left-handed. And if polar bears use their ⓐ_____ hand instead of their ⓑ_____ hand, they can live longer!

1 윗글에서 북극곰에 대해 언급된 내용은? [세부 사항]

① 인간보다 비교적 오래 산다.
② 모든 북극곰은 왼손잡이이다.
③ 북극곰의 절반은 양손잡이이다.
④ 북극곰은 평균적으로 9년 정도 산다.
⑤ 북극곰은 사냥할 때 왼손보다 오른손을 주로 사용한다.

2 윗글의 빈칸 (A)에 들어갈 말로 가장 적절한 것은? [빈칸 완성]

① In fact   ② For example   ③ Finally
④ On the other hand   ⑤ Therefore

서술형

3 윗글을 읽고 빈칸 ⓐ, ⓑ에 각각 알맞은 말을 찾아 문장을 완성하시오. [빈칸 완성]

ⓐ : _____   ⓑ : _____

직독직해

1 Are you / right-handed / or left-handed?

→ _____

2 If / you / use / your right hand / for eating / or writing, / you are / right-handed.

→ _____

3 Most people / are right-handed, / as / we all / know.

→ _____

02

Geography

지문 MP3
모바일 단어장

The dictionary definition of the word "lake" is a large area of water surrounded by land. However, there are a few different ways to define the world's largest lake. If we define a lake as an enclosed body of water, in terms of total area, the largest lake is the Caspian Sea in Asia at 370,886 square kilometers. As the Caspian Sea used to be connected to the ocean, it is still salt water. If we define a lake as freshwater covering the surface area, the world's largest lake is Lake Superior in North America, between Canada and the United States. Lake Superior covers over 82,100 square kilometers, a bit smaller than South Korea. In terms of volume, Lake Baikal in Siberia is the largest. It holds about 23,000 cubic kilometers and takes up about 20% of the world's fresh surface water. It is also the deepest lake at 1,637 meters.

* square: 제곱의, 평방의
** cubic: 세제곱의, 입방의

1 윗글에서 언급된 세계에서 부피가 가장 큰 호수는? [세부 사항]

① 카스피해   ② 슈피리어호   ③ 바이칼호
④ 미시간호   ⑤ 이리호

2 윗글에서 슈피리어호(Lake Superior)에 대해 언급한 내용과 일치하는 것은? [내용 일치]

① 남미 쪽에 위치해 있다.
② 세계 최대의 담수 호수이다.
③ 육지로 둘러싸인 소금물이다.
④ 한국보다 넓은 면적을 차지한다.
⑤ 세계에서 수심이 가장 깊은 호수이다.

3 윗글의 밑줄 친 connected와 의미가 같은 단어는? [어휘]

① defined   ② covered   ③ closed
④ linked   ⑤ created

직독직해

1 The dictionary definition / of the word "lake" / is a large area / of water / surrounded by land.

→ _____

2 However, / there are / a few different ways / to define / the world's largest lake.

→ _____

3 The largest lake / is the Caspian Sea / in Asia / at 370,886 square kilometors.

→ _____

**Funny
Stories**

지문 MP3
모바일 단어장

Michelangelo's Mother: "Can't you just paint on walls like other kids? Do you know how hard it is to get this off the ceiling?"

Abraham Lincoln's Mother: "Are you wearing that same stove pipe hat again? Can't you just wear a baseball cap like all the other boys your age?"

Einstein's Mother: "Come on, Albert, it's your senior picture! Can't you do something about your hair? Maybe use some gel, mousse or something!"

Thomas Edison's Mother: "Of course, I am proud of you, Thomas, you _____ the light bulb! But it's very late now, so turn it off and go to bed!"

Newton's Mother: "I know the falling apple helped you come up with the idea of the law of gravity, but stop wasting your time under the apple tree!"

* stove pipe hat: 스토브 파이프 모자 (검고 기다란 모자)
** the law of gravity: 만유인력의 법칙

1 윗글의 제목으로 가장 적절한 것은? [제목 찾기]

① The Best Ways to Become Famous
② Great Inventors from Great Mothers
③ All Mothers Are the Same
④ What Makes People Creative
⑤ How to Be a Great Mother

2 윗글을 읽고 추론할 수 <u>없는</u> 것은? [내용 추론]

① 에디슨은 전구를 켜고 잠을 잤다.
② 뉴턴은 사과나무 아래에서 많은 시간을 보냈다.
③ 미켈란젤로는 건물의 천장에 그림을 그렸다.
④ 링컨은 우스꽝스러운 모자를 쓰고 다녔다.
⑤ 아인슈타인의 헤어스타일은 특이했다.

3 윗글의 빈칸에 들어갈 말로 가장 적절한 것은? [빈칸 완성]

① lost   ② dropped   ③ returned
④ broke   ⑤ invented

 직독직해

1 Do you know / how hard it is / to get this off the ceiling?

→ _____

2 Can't you just / wear a baseball cap / like all the other boys / your age?

→ _____

3 I know / the falling apple / helped you / come up with the idea / of the law of gravity.

→ _____

01

right-handed	오른손잡이의	left-handed	왼손잡이의	on the other hand	반면에
on average	평균적으로	speaking of	~ 이야기가 나왔으니 말인데		
polar bear	북극곰	instead of	~ 대신에		

02

definition	정의, 뜻	surrounded	둘러싸인	define	정의하다, 뜻하다
enclosed	닫힌	body of water	(호수 등) 수역	in terms of	~에 관하여
square	(넓이) 제곱의	connected	연결된	freshwater	담수, 민물
cover	(지역에) 걸쳐 있다	volume	부피, 크기	hold	담다
link	연결하다				

03

get off	떼어내다, 제거하다	ceiling	천장	senior	졸업반의
proud	자랑스러운	invent	개발하다	turn off	~을 끄다
fall	떨어지다	come up with	~가 생각나다	law	법칙
gravity	중력	waste	낭비하다	lost	잃어버리다

✎ 다음 설명에 해당하는 단어를 보기에서 찾아 쓰시오. [영영풀이]

| 보기 | waste | cover | fall | volume | right-handed |

1 _____ using your right hand to do many things 많은 일을 하기 위해 오른손을 사용하는

2 _____ to put something on top of something 어떤 것 위에 어떤 것을 얹다

3 _____ the amount of space that is filled by something 어떤 것이 차지하고 있는 공간의 크기

4 _____ to go down quickly from a high place 높은 곳에서 빠른 속도로 내려오다

5 _____ to use too much money, time, or energy 너무 많은 돈, 시간, 에너지를 사용하다

07

1 **TRAVEL**
풍선 타고 하늘을 날아요!

2 **SUPERSTITION**
시험 보는 날, 머리를 감으면?

3 **HEALTH**
알맞은 운동량은 무엇일까?

다음 중 한국의 전통 미신에 따르면 애인에게 선물하면 안 되는 물건은 무엇일까?

A
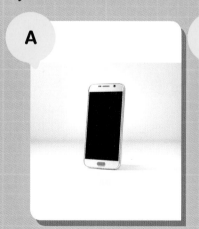

B

C
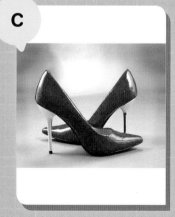

정답 확인

독해 탄탄 VOCA Check 1

01 Travel

balloon
열기구, 풍선

color

dizzy

ride

sky

float

soar

mountain

pasture

valley

02 Superstition

wash

hair

exam

agree

forget

superstition

seaweed soup

toilet paper

roll

false

03 Health

work out

various

busy

fit

shape

specialist

inactivity

bad

goal

toward

 다음 빈칸에 알맞은 말을 넣어 문장을 완성하시오.

1 The sky was full of air _____s.

2 I looked up to see the sky until I felt _____.

3 I have _____s this week.

4 How often do you _____?

5 They are too _____ to work out.

독해 탄탄 배경지식 넓히기

재미있는 한국의 전통 미신

1 문이 닫힌 채로 선풍기를 틀고 자면 죽는다?

밀폐된 곳에서 선풍기가 켜진 상태로 수면을 취하다 죽은 사건들이 예전에는 뉴스에 나오기도 했지만 모두 다 근거 없는 이야기이고 선풍기 바람이 아닌 다른 요인으로 인한 것이었다. 주로 선풍기 바람을 얼굴에 대고 자면 감기, 코막힘 등의 증상을 유발하며, 밤새 켜 놓은 선풍기가 과열되어 매년 사상자를 내고 있다고 한다.

2 빨간색으로 이름을 쓰면 그 사람이 죽는다?

누군가의 이름을 빨간색으로 쓰면 그 사람이 죽거나 저주를 받는다는 설이 있는데 이것을 심각하게 받아들이는 사람들은 없어 보인다. 하지만 미신일지라도 자신의 이름이 붉은색으로 쓰여 있다면 기분이 썩 좋지 않은 것만은 사실이다.

3 애인에게 신발을 선물하면 도망간다?

한국에서는 애인에게, 특히 남자가 여자에게 구두를 선물할 경우 선물을 받은 사람이 도망간다는 미신이 있는데, 요즘은 애인이 예쁜 구두를 원하면 이에 크게 신경 쓰지 않고 선물을 해주는 추세이다.

Guess What? 정답: C

01

Travel

The sky was full of air balloons of fascinating colors and shapes. They caught my eyes and I looked up to see the sky until I felt dizzy. I rode in a balloon, and it rose to the sky and floated into the clear air, providing an amazing view. Soaring at eye level with mountain peaks, I was able to see a green pasture and wooden chalets. The 90-minute flight over the valley is one of my unforgettable memories. It was a bit pricey at $200 for a backpacker like me, though. At this time of year, the last week of January, I am dying to travel to Switzerland and take part in the International Hot Air Balloon Festival.

* chalet: 오두막

1 윗글의 요지로 가장 적절한 것은? 요지 찾기

① 스위스 여행의 장점 ② 다양한 열기구의 종류

③ 알프스 지역 비행의 단점 ④ 다양한 세계 열기구 축제

⑤ 나의 열기구 관람 추억

2 윗글에서 글쓴이가 본 것으로 언급된 것이 <u>아닌</u> 것은? 내용 불일치

① 산 정상 ② 푸른 목초지 ③ 나무 오두막

④ 폭포 ⑤ 계곡

서술형

3 윗글을 바탕으로 다음 안내서의 빈칸에 알맞은 말을 쓰시오. 요약문 완성하기

International Hot Air Balloon Festival

Q Where: _____

Q When: _____

Welcome to the International Hot Air Balloon Festival. You can enjoy hundreds of colorful hot air balloons in the sky. Also, you can make good memories with your family members. If you want to join this festival, please email at balloons@jinnyfestival.com. Then you need to pay _____ for each person, and you can enjoy the flight for _____ minutes.

직독직해

1 They / caught my eyes / and / I / looked up / to see the sky / until I felt dizzy.

➡ _____

2 It / rose / to the sky / and / floated / into the clear air.

➡ _____

3 The 90-minute flight / over the valley / is / one of / my unforgettable memories.

➡ _____

02

Superstition

지문 MP3
모바일 단어장

"Didn't you wash your hair this morning?" "No, I didn't. I have exams this week, Mom. So I'll wash my hair after all the exams are finished." Many of you would agree with this idea, right? Students don't wash their hair during exam periods. They think that if they wash their hair, they will forget everything that they have studied. This is one of the superstitions about exams in Korea. Not only this! You would never eat seaweed soup in the morning during an exam period. Another one is that people sometimes give a roll of toilet paper to the test taker. Besides these, there are more superstitions on exams. But remember! Superstitions are just superstitions. Superstitions are usually false beliefs. The important thing is

_____ .

* superstition: 미신
** seaweed: 미역

Answers p.13

1 윗글의 제목으로 가장 적절한 것은? 제목 찾기

① Korean Superstitions on Exams
② Tips for Getting a Good Memory
③ How to Get Ready for School Tests
④ The Importance of Having Clean Hair
⑤ Strange Superstitions from Around the World

2 시험을 앞둔 사람에게 주는 것으로 윗글에서 언급된 것은? 세부 사항

① 샴푸　　　　　　② 미역국　　　　　　③ 지우개
④ 볼펜　　　　　　⑤ 두루마리 휴지

3 윗글의 빈칸에 들어갈 말로 가장 적절한 것은? 빈칸 완성

① to wash your hair
② to eat a lot of rice cake
③ to buy some toilet papers
④ to eat a lot of seaweed soup
⑤ to study hard and do your best

직독직해

1 I'll wash my hair / after / all the exams / are finished.

→ _____

2 Students / don't wash / their hair / during / exam periods.

→ _____

3 Superstitions / are usually / false beliefs.

→ _____

03

Health

지문 MP3
모바일 단어장

How often do you work out? 어떤 사람들은 운동할 시간이 충분히 있다, so they ⓐ <u>work out</u> almost every day. Others barely work out for various reasons. Most people say they are too busy to work out. Many exercise-lovers wonder how often and how much they should exercise. In other words, what's the proper amount of exercise you should do to stay healthy and fit? What number do you guess? Five days a week? An hour a day? The answer is

_____. Everyone is in different shape. It means that the proper amount of exercise differs from person to person. Many health specialists say that any exercise is better than none and inactivity is bad. However, the most important thing is that you should have a goal and work towards it.

* inactivity: 움직이지 않음

1 윗글의 밑줄 친 우리말과 일치하도록 괄호에 주어진 단어를 알맞게 배열하시오. 문장 완성
(enough time, have, some people, to exercise)

→ _____

2 윗글의 밑줄 친 ⓐ work out과 뜻이 같은 단어는? 어휘

① study   ② eat   ③ cook
④ exercise   ⑤ sleep

3 윗글의 빈칸에 들어갈 말로 가장 적절한 것은? 빈칸 완성

① it depends on the person
② we need to take a long break
③ you should exercise two hours a day
④ they should not work out too much
⑤ how much you exercise is not so important

1 Others / barely work out / for various reasons.
→ _____

2 Most people / say / they / are too busy / to work out.
→ _____

3 You / should have / a goal / and / work / towards it.
→ _____

Words Review

Answers p.14

01

balloon	(열) 기구	fascinating	매력적인	look up	올려다보다
dizzy	어지러운	float	떠다니다	provide	제공하다
soar	솟아오르다	peak	꼭대기	pasture	목초지
wooden	나무로 된	flight	비행	unforgettable	잊을 수 없는
memory	기억, 추억	a bit	약간, 다소	pricey	비싼
backpacker	배낭 여행자	be dying to	~하고 싶어 죽겠다	take part in	~에 참여하다
international	국제적인				

02

exam	시험	during	~ 동안에	forget	잊다
toilet paper	화장지	test taker	시험 치르는 사람	besides	~ 이외에
belief	믿음	important	중요한		

03

work out	운동하다	enough	충분한	barely	좀처럼 ~하지 않다
various	다양한	busy	바쁜	wonder	궁금하다
proper	적당한	amount	양	healthy	건강한
fit	건강한	guess	추측하다	shape	체형, 상태
differ	다르다	specialist	전문가		

다음 설명에 해당하는 단어를 보기에서 찾아 쓰시오. 영영풀이

보기	flight	peak	healthy	forget	float

1 _____ to be carried along by moving water or air 물이나 공기의 흐름을 타고 이동하다

2 _____ the top of a mountain 산 정상

3 _____ the act of moving through the air 공기를 타고 이동하는 것

4 _____ to not remember something 어떤 것을 기억하지 않는다

5 _____ physically strong, not sick 육체적으로 건강한, 병이 없는

08

1 FUNNY STORIES
복잡한 주문이 아니랍니다!

2 CHALLENGE
신문기자가 되는 첫걸음

3 INTERESTING FACTS
노벨상을 패러디한 상

다음 중 인류의 문명 발달에 학문적으로 기여한 사람에게 주어지는 상은 무엇일까?

A

B

C

정답 확인

01 Funny Stories

restaurant 식당	order	boiled	toast	crumble

knife	solid	touch	spread	complicated

02 Challenge

newspaper	neighborhood	interview	adult	hobby

display	distribute	popular	dream	childhood

03 Interesting Facts

prestigious	award	parody	laugh	dishonorable

shameful	ceremony	recipient	announce	suit

독해 탄탄 VOCA Check 2

Answers p.14

 다음 빈칸에 알맞은 말을 넣어 문장을 완성하시오.

1 I'd like two _____ eggs.

2 Create your own neighborhood _____!

3 You can _____ your friends.

4 The _____ ceremony takes place at Harvard University.

5 "Ignoble" means dishonorable or _____.

독해 탄탄 배경지식 넓히기

노벨상(Nobel Prize)

다이너마이트의 발명가인 스웨덴 출신의 화학자 알프레드 노벨(1833~1896)의 유언에 따라 생긴 노벨상은 1901년 이후로 해당 분야에서 사회적, 학문적 발달에 크게 기여한 사람에게 물리학상, 화학상, 생리학·의학상, 문학상, 평화상을 수여하고 있으며 1969년에는 경제학상이 추가되었다. 매년 스웨덴에서 열리는 시상식에서 수상자는 메달과 표창장, 그리고 약 10억 원에 이르는 상금을 받는다. 유명한 수상자로는 X 선을(X-ray)을 발견한 초대 물리학상 수상자 뢴트겐이 있다. 그리고 방사선 연구와 라듐 발견으로 수상한 마리 퀴리는 여성 최초의 수상자이자 두 개의 다른 부문(물리학상, 화학상)에서 수상한 유일한 인물로 유명하다. 한국인 수상자는 2000년에 평화상을 받은 고(故) 김대중 대통령이 유일하다.

🔍 Guess What? 정답: A

01

Funny Stories

지문 MP3
모바일 단어장

A man came into a restaurant and placed an order. "Good morning. I'd like two boiled eggs with bacon and toast, please. Make one of the eggs so undercooked that it's runny. And the other so overcooked that it's hard and tough to eat. I want the bacon old and cold, and please burn the toast so that it crumbles as soon as I touch it with a knife. And I'd like some frozen solid butter that doesn't spread. _____, I'd like a cup of lukewarm, weak coffee." "Umm, well sir, I'm not sure if we can do that. That's kind of a complicated order." "Complicated? What are you talking about? <u>That's exactly what you gave me yesterday!</u>"

* lukewarm: 미지근한
** complicated: 복잡한

1 남자가 어제 먹은 음식에 대해 옳지 <u>않은</u> 것은? [내용 불일치]

① 커피가 너무 연했다.
② 버터가 너무 딱딱했다.
③ 토스트는 심하게 구워졌다.
④ 베이컨이 오래되고 차가웠다.
⑤ 채소와 과일이 신선하지 않았다.

2 윗글의 밑줄 친 부분의 의미로 가장 적절한 것은? [내용 이해]

① 음료가 미지근했다.
② 음식이 형편없었다.
③ 썩은 달걀을 내왔다.
④ 접시가 너무 더러웠다.
⑤ 주문하지 않은 음식이 나왔다.

3 윗글의 빈칸에 들어갈 말로 가장 적절한 것은? [빈칸 추론]

① So   ② For example   ③ First
④ Finally   ⑤ Now

직독직해

1 Make / one of the eggs / so undercooked / that it's runny.

→ _____

2 It crumbles / as soon as / I touch it / with a knife.

→ _____

3 That's / exactly / what / you gave me / yesterday.

→ _____

지문 MP3
모바일 단어장

Do you want to do something fun in your neighborhood? Here is a fun idea; create your own neighborhood newspaper! You may think it is really difficult and it takes lots of time. But it doesn't have to be a big newspaper; just a few pages are enough. You can have weekly topics in your paper: big news of the week, joke of the week, and special person of the week. You can interview your friends and find out their dreams, favorite things, and their hobbies. 당신은 또한 어른들을 인터뷰할 수 있다 and ask them their childhood dreams, and their first loves. When you finish making the newspaper, you and your friends can start to distribute it. Take ⓐit to different shops, and ask the owners to display it. Who knows? Your paper might become the most popular in the neighborhood!

1 윗글에서 동네 신문에 실을 수 있는 내용으로 언급된 것이 아닌 것은? 내용 불일치

① 한 주간의 유머　　　　　　② 친구의 취미
③ 어른들의 첫 사랑　　　　　④ 어른들의 어린 시절 꿈
⑤ 유명인 인터뷰

2 윗글의 밑줄 친 ⓐ it이 가리키는 것으로 가장 적절한 것은? 지칭 추론

① your neighborhood　　　　② joke of the week
③ a hobby　　　　　　　　④ the newspaper
⑤ a dream

서술형

3 윗글의 밑줄 친 우리말과 일치하도록 괄호에 주어진 단어를 알맞게 배열하시오. 문장 완성

(an interview / with / have / adults)

→You can also _____

직독직해

1 Do you want / to do / something fun / in your neighborhood?

→ _____

2 When you finish / making the newspaper, / you and your friends / can start / to distribute it.

→ _____

3 Take it / to different shops, / and / ask the owners / to display it.

→ _____

Interesting Facts

지문 MP3
모바일 단어장

As everyone knows, the Nobel Prize is one of the most prestigious awards in the world. Then, have you ever heard of the Ig Nobel Prize? The Ig Nobel Prize is a parody of the Nobel Prize. It makes people laugh and think. The name of the award is a play on a word "ignoble." It means dishonorable or shameful. The award ceremony ⓐis held at Harvard University's Sanders Theater a week or two before the real Nobel Prize recipients are announced. Past winners include the inventor of the self-perfuming business suit, the creator of Murphy's Law, and even the researchers who found out that fleas living on dogs jump higher than those living on cats.

* prestigious: 권위[명망] 있는
** recipient: 수상자

1 Ig Nobel Prize에 관한 윗글의 내용과 일치하지 <u>않는</u> 것은? 내용 불일치

① 노벨상을 패러디했다.
② 노벨상 행사와 동시에 열린다.
③ 행사는 하버드 대학에서 열린다.
④ 사람들이 웃고 생각하게 하는 상이다.
⑤ 수상자 중의 한 명은 '머피의 법칙'을 만들었다.

2 윗글에서 Ig Nobel Prize를 수상할 가능성이 가장 <u>없는</u> 연구는? 내용 추론

① 평화상: '식물의 존엄성을 인정하는 법안'
② 생물학상: '돼지의 배설물을 통해 전염되는 균'
③ 물리학상: '분자의 형태에 관한 일반 법칙 발견'
④ 문학상: '지구에 나타난 외계인들의 활동'
⑤ 의학상: '비싼 가짜 약이 싼 가짜 약보다 효능이 더 좋은 이유'

3 윗글의 밑줄 친 ⓐ <u>is held</u>와 의미가 같은 단어는? 어휘

① turns off   ② catches up   ③ gives out
④ takes place   ⑤ plans on

✏️ 직독직해

1 The Nobel Prize / is one / of the most prestigious awards / in the world.

→ _____

2 The name / of the award / is a play / on a word "ignoble."

→ _____

3 The award ceremony / is held / at Harvard University's Sanders Theater.

→ _____

Words Review

Answers p.16

01

boiled	삶은	undercooked	덜 익힌	runny	흘러내리는
overcooked	너무 익힌	crumble	부서지다	frozen	얼린
solid	딱딱한	spread	펴지다	lukewarm	미지근한
complicated	복잡한	exactly	정확히		

02

neighborhood	이웃	create	만들다	difficult	어려운
special	특별한	interview	인터뷰하다	favorite	가장 좋아하는
adult	어른	childhood	어린 시절	first love	첫 사랑
distribute	나눠주다	take	가져가다	owner	주인, 소유자
display	보여주다	popular	인기 많은		

03

prestigious	명망 있는	award	상	parody	패러디
ignoble	수치스러운	dishonorable	명예스럽지 못한	shameful	부끄러운
ceremony	행사	recipient	수상자	announce	발표하다
include	포함하다	inventor	발명가	perfume	향수를 뿌리다
flea	벼룩	take place	발생하다, 개최되다		

✎ 다음 설명에 해당하는 단어를 보기에서 찾아 쓰시오. 영영풀이

| 보기 | create | announce | lukewarm | undercooked | display |

1 _____ slightly warm 약간 따뜻한

2 _____ not cooked enough 충분히 익히지 않은

3 _____ to make something new 새로운 것을 만들다

4 _____ to put something where people can see it 어떤 것을 사람들이 볼 수 있는 곳에 놓다

5 _____ to officially tell people about something 공식적으로 사람들에게 어떤 것에 대해 말해주다

Guess What?

🔍 다음 중 여드름을 없애는 방법으로 알맞지 <u>않은</u> 것은 무엇일까?

A

B

C

독해 탄탄 VOCA Check 1

정답 확인

01 Health & Beauty

acne
여드름

nightmare

teenager

fruit

vegetable

moisturize

scrub

dermatologist

clean

avoid

02 Origin

kitchen

card

servant

greasy

piece

bread

sandwich

hungry

meat

table

03 Environment

preserve

organization

recycle

sell

garbage

disposable

laundry

bottle

utensil

plate

 다음 빈칸에 알맞은 말을 넣어 문장을 완성하시오.

1 It is good to eat a lot of fruits and  _____s.

2 How can we  _____ zits?

3 If you _____ your face too hard, the zits will become worse!

4 Earl told him to put some meat in between two _____s of bread.

5 It helps to reduce the amount of _____.

독해 탄탄 배경지식 넓히기

여드름(acne)

여드름은 피부의 피지선, 염증성 질환으로서 사춘기에 많이 발생하고 잘못된 화장, 호르몬, 식습관, 스트레스 등 여러 가지 요인에 의해 일어난다. 여드름을 치료하거나 예방하는 데 있어 다음과 같은 방법이 도움이 될 수 있다.

1 손으로 얼굴을 만지지 마라.
손은 항상 먼지와 기름이 묻어 있어, 얼굴을 만진다면 세균이 피부 속으로 침투하기 쉽고 얼굴에 퍼져 여드름을 유발할 수 있다. 세안은 깨끗이 하되 너무 자주 하지 말고 충분한 수분을 공급해야 한다.

2 충분한 물을 마시고 탄산음료와 주스를 피하라.
체내에 섭취된 설탕은 인슐린 농도를 높여 여드름과 관련된 호르몬을 생성하므로 탄산 음료나 주스 대신 물을 충분히 마셔 신진대사가 원활히 작동하도록 해야 한다.

3 채소와 과일 위주의 균형 잡힌 식사를 하고 비타민을 섭취하라.
과일과 채소 섭취량을 늘리고 다양한 비타민을 적절히 섭취하여 몸을 건강하게 유지해야 한다.

4 건강한 생활 습관
명상과 적당량의 운동으로 스트레스를 해소하고 충분한 수면을 취해서 몸의 피로도를 낮춰야 한다.

Guess What? 정답: A

Health & Beauty

지문 MP3
모바일 단어장

What do you think about acne? It is the nightmare of every teenager. In English, this condition is often called zits. Teenagers commonly get zits, but adults can get them, too. So it's good for everyone to know how to treat them. How can we avoid them? _____, it's good to eat a lot of fruits and vegetables. They keep your skin moisturized and help give it the vitamins and minerals that it needs to stay clean and healthy. If you find some zits on your face, you should wash your face a bit more often. But be sure to wash it gently, using a mild soap. If you scrub your face too hard, the zits on your face will become worse! If you have a really bad case of acne, it is a good idea to go see a dermatologist. Sometimes a dermatologist can give you medicine that 여러분의 여드름을 제거하는 데 도움을 줄 수 있는.

* moisturize: 촉촉하게 하다
** dermatologist: 피부과 의사

1 여드름을 완화하기 위한 좋은 방법으로 윗글에서 언급된 것은? 세부 사항

① 순한 비누를 사용한다.
② 물만 이용해서 세수한다.
③ 얼굴을 세게 문지른다.
④ 보습제를 자주 바른다.
⑤ 햇빛을 자주 쐰다.

2 윗글의 빈칸에 들어갈 말로 가장 적절한 것은? 빈칸 추론

① After all   ② But   ③ Finally
④ Then   ⑤ First of all

서술형

3 윗글의 밑줄 친 우리말과 일치하도록 괄호에 주어진 단어를 알맞게 배열하시오. 문장 완성
(get rid of / will / your acne / help)

→ _____

직독직해

1 It's good / for everyone / to know / how to treat / them.

→ _____

2 If / you / find / some zits / on your face, / you / should wash / your face / a bit more often.

→ _____

3 If / you / scrub your face / too hard, / the zits / on your face / will become worse!

→ _____

02

Origin

지문 MP3
모바일 단어장

"Mom, I'm hungry. Is there anything to eat?" "Sure! There are some sandwiches on the kitchen table." "Oh, thank you, Mom!"

Do you like sandwiches? Do you know how the sandwich got its name? A long time ago, in the 1700s in England, there was a man named John Montagu, the Earl of Sandwich. He really liked playing cards. During one game he felt hungry, so he asked one of his servants to bring him some food. The servant asked, "What kind of food do you want?" Then he said, "Something tasty. But I don't want to get my hands dirty or greasy while I'm playing." At first, the servant had no idea what to do, so the Earl told him to put some meat in between two pieces of bread. That's how the sandwich got its name; it was named after the Earl, and his title was 'The Earl of Sandwich.'

* Earl of Sandwich: 샌드위치 지방의 백작

1 윗글의 주제로 가장 적절한 것은? 주제 찾기

① 샌드위치 백작의 일생
② 대표 간식이 된 샌드위치의 종류
③ 샌드위치 이름의 유래
④ 영국 샌드위치의 종류와 특징
⑤ 카드 게임의 역사와 유래

2 윗글의 내용과 일치하도록 빈칸에 들어갈 말을 고르시오. 세부 사항

> The Earl of Sandwich wanted to keep his hands _____ while he was eating a snack of bread and meat.

① messy
② clean
③ shiny
④ oily
⑤ warm

3 샌드위치에 관한 윗글의 내용과 일치하지 <u>않는</u> 것은? 내용 불일치

① 미국에서 유래되었다.
② 1700년대에 만들어졌다.
③ 카드 게임 중에 만들어졌다.
④ 존 몬태규가 처음 생각해냈다.
⑤ 빵 사이에 고기를 넣어 만들었다.

직독직해

1 Do you know / how / the sandwich / got its name?

→ _____

2 A long time ago / in England, / there was a man / named John Montagu.

→ _____

3 The Earl told him / to put some meat / in between two pieces of bread.

→ _____

03

Environment

What can you do to preserve the environment? What you need to do is not a big thing; just be a little more concerned about the earth. _____(A)_____, being a smart shopper is one of the ways. Then how can you shop smartly? Here are a few tips to be a smart shopper. First, buy recycled products. Most supermarkets these days sell products that are recycled, like paper, toilet paper, and trash bags. Second, buy in bulk. Buy larger amounts of a product _____(B)_____ large soda bottles and laundry soap boxes. They help to reduce the amount of garbage that is produced from the products. The bigger the ones you buy, the fewer boxes you have to throw away. Third, don't buy disposable items. Paper plates, and utensils are used only once and thrown away. So they only make more garbage. Finally, buy things that you can refill like dish soap and other washing materials. It helps reduce the amount of garbage, and save your money.

*utensil: 식기, 도구

1 윗글에서 환경을 위한 쇼핑 습관으로 언급된 것이 <u>아닌</u> 것은? [내용 불일치]

① 대용량 제품을 구입한다.
② 재활용되는 제품을 구입한다.
③ 리필 가능한 제품을 구입한다.
④ 1회용 제품을 구입하지 않는다.
⑤ 천연 재료로 만든 제품을 구입한다.

2 윗글에서 대용량 제품 구매의 장점으로 언급된 것은? [세부 사항]

① It can save you a lot of money.
② It saves time when you go shopping.
③ Most of the bulk products are disposable.
④ Most of the bulk products can be recycled.
⑤ It reduces the amount of garbage you produce.

3 윗글의 빈칸 (A)와 (B)에 들어갈 말로 가장 적절한 것은? [빈칸 완성]

	(A)	(B)
①	Likewise	instead of
②	For example	such as
③	Again	likewise
④	Also	instead of
⑤	However	such as

직독직해

1 What you need to do / is not / a big thing.

→ _____

2 Being a smart shopper / is / one of the ways.

→ _____

3 It helps / reduce / the amount of garbage, / and / save your money.

→ _____

Words Review

Answers p.18

01

acne	여드름	teenager	10대 청소년	condition	상태
zit	여드름	commonly	흔히	adult	어른
treat	치료하다	moisturize	촉촉하게 하다	vitamin	비타민
mineral	무기질, 미네랄	gently	부드럽게, 살살	mild	순한
scrub	문지르다	medicine	약		

02

name	이름 짓다	earl	백작	servant	하인
bring	가져오다	tasty	맛있는	greasy	기름진
piece	조각	messy	지저분한	oily	기름진
shiny	빛나는				

03

preserve	보존하다	environment	환경	environmental	환경의
organization	기구, 단체	concerned	걱정하는	smartly	똑똑하게
recycle	재활용하다	product	제품	in bulk	대량으로
laundry	빨래	reduce	줄이다	garbage	쓰레기
throw away	버리다	disposable	일회용의	refill	다시 채우다
material	물질				

✏️ 다음 설명에 해당하는 단어를 보기에서 찾아 쓰시오. 영영풀이

보기	preserve	servant	treat	avoid	reduce

1 _____ to stay away from someone or something, or not use something
어떤 사람이나 물건으로부터 멀리 떨어져 있거나 어떤 것을 사용하지 않다

2 _____ someone who is paid to cook and clean in another person's house
다른 사람의 집에서 요리하고 청소를 하도록 돈을 주고 고용한 사람

3 _____ to give medical care to a person or an animal
어떤 사람이나 동물에게 의술을 제공하다

4 _____ to make something smaller or less in size, amount, or price
어떤 것의 크기, 양, 가격을 줄이다

5 _____ to keep something in good condition 어떤 것을 좋은 상태로 유지하다

100

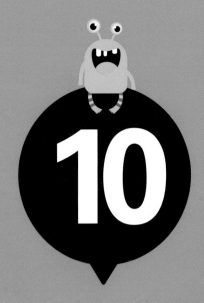

10

1 **PSYCHOLOGY**
두려움은 어디서부터 오는 걸까?

2 **MYTH**
해바라기가 상징하는 것은?

3 **EXPRESSIONS**
악어의 눈물에 속지 마세요!

Guess What?

🔍 다음 중 아름다운 미모와 다양한 재능으로 유명한 그리스 · 로마 신화의 신은 누구일까?

A

B

C

독해 탄탄 VOCA Check 1

01 Psychology

bedroom
침실, 방

window

cloud

approach

fear

flash

shake

storm

relaxed

thunder

02 Myth

sunflower

petal

center

ray

nymph

carriage

sunrise

adoration

pity

symbol

03 Expressions

shed

shout

hide

swallow

crocodile

prey

jaw

wet

sadness

eye

 다음 빈칸에 알맞은 말을 넣어 문장을 완성하시오.

1 You have a _____ of thunder and lightning.

2 Suddenly your room begins to _____.

3 How did _____s get their name?

4 Crocodiles _____ tears while swallowing their prey.

5 "Crocodile tears" refers to a false display of _____.

독해 탄탄 배경지식 넓히기

아폴로 – 비운의 올림푸스 엄친아

그리스 · 로마 신화에서 아폴로(또는 아폴론)는 주신인 제우스의 자식으로 달과 사냥의 여신 아르테미스의 쌍둥이 남동생이기도 하다. 태양 또는 빛의 신으로 알려진 그는 꽃미남의 미모를 지녔고 예언, 의술, 음악, 궁술을 주관하는 다재다능한 신이다. 이처럼 완벽하게 보이는 그는 한 가지 결점이 있었는데 그것은 바로 사랑 복이 없다는 것이다. 그는 여러 애인이 있었지만 그와 함께 끝까지 행복하게 지낸 이가 없었고 몇 안 되는 자식들조차도 크게 성공한 경우가 없었다. 그가 처한 비극의 한 가지 예로서, 에로스의 화살을 맞은 아폴로는 님프인 다프네와 사랑에 빠지게 되고 그녀에게 구애한다. 반면, 증오의 화살은 맞은 다프네는 아폴로를 피해 도망치다 지쳐서 자신의 아버지에게 도움을 요청하여 월계수로 변했다. 아폴로는 그 월계수 이파리로 월계관을 만들었는데 오늘날 올림픽 우승자에게 월계관을 씌워주는 것은 아폴로가 다프네를 기리기 위한 것에서 비롯됐다는 설이 있다.

🔍 Guess What? 정답: B

01

Psychology

It's late at night. You look out of your bedroom window, and you see dark clouds approaching. It's really dark and cold. Oh, it begins to rain! Suddenly you hear terrible sounds, and your room begins to shake. Then you may shout, "Oh, my god! My room is shaking. What should I do?" Then you see flashes of light in the sky. You know that the sights and sounds are thunder and lightning, but you are afraid. You can't think of anything. In your fear you rush to your bedroom closet to hide. You wait for the storm to finish. Only when the storm finishes, you're able to come out of your closet and feel <u>relaxed</u>. And then you realize that you have a fear of thunder and lightning.

Answers p.18

1 윗글에 나타난 날씨 변화가 순서대로 알맞게 나열된 것은? 내용 이해

① 먹구름 다가옴 → 비 → 천둥 → 번개
② 번개 → 천둥 → 먹구름 다가옴 → 비
③ 비 → 천둥 → 번개 → 먹구름 다가옴
④ 먹구름 다가옴 → 천둥 → 번개 → 비
⑤ 번개 → 먹구름 다가옴 → 비 → 천둥

서술형

2 윗글을 읽고, 다음 빈칸에 알맞은 말을 찾아 문장을 완성하시오. 세부 사항

The person in the story has a fear of ________________ and ________________.

3 윗글의 밑줄 친 relaxed와 문맥상 의미가 같은 단어는? 어휘

① worried ② calm ③ confused
④ upset ⑤ scared

직독직해

1 You look / out of your bedroom window, / and / you see / dark clouds / approaching.

→ ________________________________

2 You / wait for / the storm / to finish.

→ ________________________________

3 Only when / the storm finishes, / you're able to / come out of your closet / and / feel relaxed.

→ ________________________________

Myth

지문 MP3
모바일 단어장

How did sunflowers get their name? That'll be because they have bright yellow petals coming out from the center, just like the bright rays of the sun.

(A)

Finally, the gods felt pity for her and turned her into a sunflower. For this reason, sunflowers are considered a symbol of warmth and adoration, and also a sign of a long and happy life.

(B)

As soon as she saw him, she fell deeply in love with him. But Apollo didn't like her. So she just sat and looked up the sky to see the sun from sunrise to sunset.

(C)

There is also a legend about sunflowers from Greek mythology. One day Clytie the water nymph saw Apollo, the god of the sun, moving across the sky in his sun carriage.

* adoration: 애정, 흠모
** Greek mythology: 그리스 신화

1 윗글의 (A), (B), (C)의 순서로 가장 적절한 것은? [글의 순서 정하기]

① (A) - (C) - (B)　　　② (B) - (A) - (C)　　　③ (B) - (C) - (A)
④ (C) - (A) - (B)　　　⑤ (C) - (B) - (A)

서술형

2 윗글에서 해바라기가 상징하는 것을 우리말로 쓰시오. (3가지) [세부 사항]

→ _____

3 클뤼티에(Clytie)에 관한 윗글의 내용과 일치하지 <u>않는</u> 것은? [내용 불일치]

① 달을 움직이는 여신이다.
② 신이 해바라기로 만들었다.
③ 아폴로의 사랑을 받지 못했다.
④ 아폴로를 보자마자 사랑하게 되었다.
⑤ 해가 뜨고 질 때까지 아폴로를 쳐다보았다.

4 윗글의 밑줄 친 <u>legend</u>의 정의로 옳은 것은? [어휘]

① a great love and admiration
② sign that expresses something
③ a beam of light from the sun or moon
④ an old story about brave people, or magical events
⑤ a spirit of nature who appears as a young woman

직독직해

1 How / did sunflowers get / their name?

→ _____

2 Finally, / the gods / felt pity / for her / and / turned her / into a sunflower.

→ _____

3 As soon as / she saw him, / she / fell deeply in love / with him.

→ _____

03

"O devil, devil!

If that the earth could teem with woman's tears,

Each drop she falls would prove a crocodile.

Out of my sight!"

In the last part of Shakespeare's *Othello*, Othello shouts these above lines when he sees his wife's tears. Othello thinks that she is crying to hide her true feelings. Why a crocodile? The idea comes from an old story that crocodiles shed tears while catching or swallowing their prey. _____, crocodiles don't actually cry because they feel sorry. When they open their mouths and move their jaws, this puts pressure on the tear glands. And the tears from the glands keep the eyes clean and wet. So, the term "crocodile tears" refers to a false display of sadness.

* teem with: ~로 가득하다
** shed : ~을 흘리다
*** gland: (몸의) 분비선, 샘

1 윗글의 내용과 일치하는 것은? [내용 일치]

① 오셀로의 아내는 악어의 눈물이 진실이라 믿었다.
② 오셀로는 아내의 눈물을 보고 그녀를 용서하였다.
③ 악어는 먹이를 사냥할 때 죄책감을 느껴 눈물을 흘린다.
④ '악어의 눈물'이라는 말은 거짓된 슬픔의 표현을 가리킬 때 쓰인다.
⑤ 악어가 먹이를 먹을 때 눈물을 흘리는 일은 최근 많이 목격된다.

2 윗글에서 악어가 먹이를 먹을 때 눈물을 흘리는 이유를 우리말로 쓰시오. [세부 사항]

→ _____

3 윗글의 빈칸에 들어갈 말로 가장 적절한 것은? [빈칸 완성]

① For example   ② In fact   ③ Therefore
④ In case   ⑤ Indeed

1 Othello / shouts / these above lines / when / he sees / his wife's tears.
→ _____

2 The idea / comes from / an old story / that / crocodiles shed tears / while catching or swallowing / their prey.
→ _____

3 The tears / from the glands / keep / the eyes / clean and wet.
→ _____

Words Review

Answers p.20

01

approach	다가오다	terrible	끔찍한	shake	흔들리다
shout	소리치다	flash	번쩍임	sight	보이는 것
afraid	두려운	think of	~가 생각나다	rush	달려가다
closet	벽장	relaxed	느긋한	realize	깨닫다
fear	두려움	thunder	천둥	lightning	번개

02

sunflower	해바라기	petal	꽃잎	ray	광선
pity	동정	turn A into B	A를 B로 바꾸다	reason	이유
consider	여기다	symbol	상징	warmth	따뜻함
adoration	애정, 흠모	fall in love with	~와 사랑에 빠지다	sunrise	일출
sunset	일몰	Greek	그리스의	mythology	신화
carriage	마차				

03

devil	악마	teem with	~로 가득 차다	tear	눈물
drop	방울	prove	~로 드러나다	line	(문학) 대사
shed	흘리다	swallow	삼키다	prey	먹잇감
jaw	턱	pressure	압력	gland	(몸의) 분비선, 샘
refer to	~을 가리키다	display	보여주기	sadness	슬픔

✎ 다음 설명에 해당하는 단어를 보기에서 찾아 쓰시오. 영영풀이

보기	afraid	sunrise	approach	swallow	tear

1 _____ to come nearer to something 어떤 것에 더 가까이 가다

2 _____ feeling fear or worried about something 어떤 것에 대해 두려워하거나 걱정하는

3 _____ when the sun first appears in the morning 아침에 태양이 처음 나타나는 때

4 _____ a drop of water that comes from your eyes 눈에서 나오는 한 방울의 물

5 _____ to take something into your stomach through your mouth
입을 통해서 어떤 것을 뱃속으로 받아들이는 것

THIS IS
READING

Starter
Workbook

A 다음 주어진 영어는 우리말로, 우리말은 영어로 쓰시오.

1	question	11	정확히
2	continue	12	음성, 목소리
3	reply	13	발명하다
4	modern	14	낙타
5	create	15	세균
6	popular	16	북쪽의
7	stand for	17	관계
8	example	18	알아채다
9	be good at	19	감정적인
10	go wrong	20	확실히

B 다음 주어진 해석을 참고하여, 빈칸을 알맞게 채우시오.

1 "Dear God, I have a question for you. Could you tell me exactly how long a _____ years is?" A deep voice from above said, "A million years is like one _____." "I see ... " said the boy. "Then could you tell me how much a million _____ is?" The deep voice came back with the reply, "A million dollars is like one _____." "Well," the boy continued. "I see, then could you please give me just one of those pennies?" "Just _____ a minute!" the deep voice answered back.

"하나님, 질문이 있어요. 백만 년이 정확히 얼마나 긴지 말씀해 주실 수 있으세요?" 위에서 굵은 목소리로 "백만 년은 1분과 같단 다."라고 말했다. "알겠어요."라고 소년은 말했다. "그러면 백만 달러는 얼마인지 말해 주실 수 있으세요?" 굵은 목소리의 대답이 다시 돌아왔다. "백만 달러는 1페니와 같단다." "음." 소년은 이어서 말했다. "알겠어요, 그러면 제게 그 페니 중 하나만 주실 수 있으세요?" "1분만 기다리거라!" 굵은 목소리로 답변했다.

2 "Phillip! Did you brush your teeth?" "Okay, Mom. I'll do it now. By the way, Mom, where was the _____ invented?" Do you know the answer? Well, you may want to know. Actually, today's modern toothbrush has its _____ in northern China and Mongolia a thousand years ago. At that time, they used animal _____ to brush their teeth. The animal hairs were often from horses, camels, and yaks. Those animal hairs were quite _____. So when the toothbrushes first came to Europe, they were not very popular. People also found out that the animal hairs had a lot of _____, or _____ in them. So the modern toothbrush was created to keep our teeth clean and also avoid _____ germs.

"필립! 양치질 했니?" "알았어요, 엄마. 지금 할게요. 그런데, 엄마, 어디에서 칫솔이 발명되었어요?" 여러분은 그 답을 아세요? 글쎄, 알고 싶을 거예요. 실제로, 오늘날의 현대의 칫솔은 천년 전 몽골과 중국의 북부지역에서 기원을 찾을 수 있어요. 그때, 사람들은 이를 닦기 위해 동물 털을 사용했어요. 동물 털은 종종 말, 낙타, 그리고 야크의 것이었죠. 그 동물 털은 꽤 거칠어서 유럽에 처음 그 칫솔이 전해졌을 때 그리 인기가 있지는 않았어요. 사람들은 또한 동물 털에 세균이나 박테리아가 많다는 것을 알게 되었죠. 그래서 현대의 칫솔은 이를 깨끗하게 하고 세균 감염도 피하도록 만들어졌어요.

3 IQ stands for _____ quotient, and EQ stands for _____ quotient. But there is little relation between them. Someone with a high IQ doesn't mean that he or she has a high EQ. Let me give an example. Samuel has a high IQ. He is very smart and always remembers things easily and _____ quickly. Undoubtedly, he always gets high grades in every _____ at school. On the other hand, he isn't good at noticing feelings: his own or other people's. So it isn't easy for him to make good _____ with friends or other people around him. He easily loses his _____ and gets angry when things go wrong. He doesn't understand other people well either, so he is not good at _____ with them.

IQ는 지능 지수를 나타내고, EQ는 감성 지수를 나타낸다. 하지만, 이 둘 사이에는 거의 연관성이 없다. IQ가 높은 사람이 EQ도 높다는 것을 의미하지는 않는다. 예를 들어보자. 사무엘은 IQ가 높다. 아주 똑똑하고 어떤 것이든 쉽게 기억하고 빨리 배운다. 물론, 학교에서 어떤 과목에서든 높은 점수를 받는다. 반면, 자신의 감정이든 다른 사람의 감정이든 감정을 알아차리는 데는 능숙하지 못하다. 그래서 그는 친구들이나 주변의 다른 사람들과 좋은 관계를 맺기가 어렵다. 뭐가 잘 안되면 쉽게 성질내고 화를 낸다. 그는 다른 사람들을 잘 이해하지도 못해서 남들과 소통을 잘 못한다.

A

다음 주어진 영어는 우리말로, 우리말은 영어로 쓰시오.

1	different	_____	11	목적	_____
2	symbol	_____	12	행복	_____
3	bright	_____	13	그러나	_____
4	famous	_____	14	동전	_____
5	legend	_____	15	아름다움	_____
6	in fact	_____	16	던지다	_____
7	mixture	_____	17	치료하다	_____
8	prove	_____	18	약국	_____
9	careful	_____	19	개발하다	_____
10	disease	_____	20	계속하다	_____

B

다음 주어진 해석을 참고하여, 빈칸을 알맞게 채우시오.

1 In the past, yellow roses were a symbol of _____. However, the meaning is really different now. Today they are usually a sign of happiness and _____. Because of their color, they make people think about a bright sunny day. Those feelings bring _____ and happiness! Yellow roses are different from red roses because they are just a symbol of friendship, not love or _____. People usually give yellow roses to good friends. Their purpose is to _____ their friends when they are feeling down.

과거에는 노란 장미는 질투를 상징했었다. 그렇지만, 지금은 그 의미가 매우 다르다. 오늘날 그것은 주로 행복과 우정을 상징한다. 그 색깔 때문에 노란 장미는 사람들이 밝고 화창한 날을 생각하게 만든다. 그러한 느낌은 따뜻함과 행복을 가져다준다! 노란 장미는 사랑이나 로맨스가 아니라 그냥 우정을 상징하는 것이기 때문에 빨간 장미와는 다르다. 사람들은 대개 좋은 친구들에게 노란 장미를 준다. 그들의 목적은 친구들이 우울해할 때 기운을 북돋아주기 위한 것이다.

2 Have you heard of 'Trevi Fountain'? It's the most famous fountain in Rome. It is famous not only for its beauty, but also for its 'Coin Throwing' _____. That is a part of its history and _____. There are many legends about _____ coins into the Trevi Fountain. The most famous one is this; if you throw a coin into it, you'll surely _____ to Rome someday. According to another legend, if you throw two coins into the fountain, you will get _____ soon. So many people throw coins into the fountain every day. In fact, around $3,500 is _____ from it each day!

당신은 '트레비 분수에 대해 들어 본 적이 있는가? 그것은 로마에서 가장 유명한 분수이다. 그 아름다움뿐만 아니라 '동전 던지기' 전설로도 유명하다. 그것은 그 역사와 민간 설화에 전해지는 내용이다. 트레비 분수에 동전을 던지는 것과 관련해서 많은 전설이 있다. 가장 유명한 것은 이것이다. 동전 한 개를 그 안으로 던져 넣으면, 당신은 언젠가 로마에 반드시 되돌아온다는 것이다. 또 다른 전설에 따르면 당신이 동전 두 개를 분수 안으로 던져 넣으면 곧 결혼하게 된다는 것이다. 그래서 많은 사람들은 매일 분수에 동전을 던진다. 실제로, 매일 약 3,500달러가 그 분수에서 수집된다!

3 Are you thirsty? What do you want to drink now? What's your favorite drink? Do you know what _____is the most popular all over the world? That's right! It's Coca-Cola. But do you know who invented it? It was first invented in 1886, in Atlanta, Georgia, by John Pemberton. He wanted to create an energy drink with no alcohol in it. People at that time believed that _____ water was good for their health. So he added it to a syrup mixture. The syrup mixture was made from the coca plant and the kola nut. He told people that it would _____ diseases. But nobody has proved that yet. The first glass of Coke was bought at a _____ in Atlanta for 5 cents on May 8, 1886. Today it's really popular and continues to be the best-selling drink all around the world. But be careful! If you drink too much of it, you may get _____ and gain weight.

갈증 나는가? 지금 뭘 마시고 싶은가? 당신이 가장 좋아하는 음료는 무엇인가? 전 세계에서 가장 인기 있는 청량음료가 무엇인지 아는가? 그렇다. 바로 코카콜라이다. 그런데 누가 발명한지 아는가? 코카콜라는 1886년 조지아 주의 애틀랜타에서 존 펨버튼에 의해 처음 발명되었다. 그는 알코올이 첨가되지 않은 에너지음료를 만들고 싶었다. 당시 사람들은 탄산수가 건강에 좋다고 생각했다. 그래서 그는 탄산수를 시럽 혼합물에 넣었다. 시럽 혼합물은 코카나무와 콜라 열매로 만들었다. 그는 사람들에게 이것이 병을 치료할 거라고 말했다. 하지만, 누구도 그것을 증명하진 못했다. 맨 처음 콜라 한 잔은 1886년 5월 8일 애틀랜타의 한 약국에서 5센트에 팔렸다. 오늘날 콜라는 정말로 인기 있고 전 세계적으로 꾸준히 가장 잘 팔리는 음료수이다. 그렇지만, 주의해라! 너무 많이 마시면 충치가 생기거나 살이 찔 수 있다.

A

다음 주어진 영어는 우리말로, 우리말은 영어로 쓰시오.

1	daughter	_____	11	끔찍한	_____
2	put	_____	12	세균	_____
3	hold	_____	13	실패하다	_____
4	dirty	_____	14	나무로 만든	_____
5	offer	_____	15	받다	_____
6	soldier	_____	16	깨닫다	_____
7	seem	_____	17	파괴하다	_____
8	itchy	_____	18	(침으로) 쏘다	_____
9	allergic	_____	19	가능한 한 빨리	_____
10	painkiller	_____	20	화끈거리다	_____

B

다음 주어진 해석을 참고하여, 빈칸을 알맞게 채우시오.

1 One day, I was taking a walk with my 4-year-old daughter. She _____ something up, and put it into her mouth. I held her hands and said, "Don't do that!" She _____ me why not. I told her that it was dirty and was _____ of horrible germs. She looked at me with a big smile and said, "Wow, mom! How do you know all of that?" I said, "Every mother knows these things. Uhh, it's called the 'Mommy _____'. if you don't know the answer, you can't _____ a mommy." Then she said, "Oh, I got it! So if you _____ the test, you have to be a daddy!"

어느 날 나는 네 살짜리 딸과 산책을 하고 있었다. 아이는 무언가를 집어서 입에 넣었다. 나는 아이의 손을 잡고 "그렇게 하지 마라."라고 말했다. 아이는 왜 안 되는지 물었다. 나는 그것이 더럽고 무시무시한 세균으로 가득 차 있다고 말했다. 아이는 환한 미소를 지으며 나를 보고 말했다. "와, 엄마! 엄마는 어떻게 그런 걸 다 알아요?" 나는 "모든 엄마는 그런 것들을 다 안단다. 음, '엄마 시험'이라고 하지. 답을 모르면 엄마가 될 수 없단다."라고 말했다. "아, 알겠어요! 그러니까 시험에 떨어지면 아빠가 되어야 하는 거네요!"라고 아이는 말했다.

Answers p.21

2 Have you heard of the Trojan Horse? It came from the Trojan War between Greece and Troy. During the war, the Greek _____ offered a big wooden horse to the Trojans as a _____. The Trojans accepted the gift, but they didn't realize that there were Greek soldiers _____ inside the horse! When the Trojans went to sleep that night, the Greek soldiers came out and opened the gates to the city for the Greek army. Before long, the Trojan army was destroyed and the Greeks _____ the war. These days, it is also famous as a name of a computer program. It seems to be _____, but actually _____ data.

트로이 목마에 대해 들어본 적이 있는가? 그것은 그리스와 트로이 사이의 트로이 전쟁에서 비롯되었다. 전쟁 기간에 그리스 군대는 선물로 트로이 사람들에게 커다란 목마를 바쳤다. 트로이 사람들은 선물을 받았지만 목마 안에 숨어 있던 그리스 군인들이 있다는 것을 알아차리지 못했다! 그날 밤 트로이 군대가 잠이 들었을 때, 그리스 군대는 밖으로 나와서 그리스 군대를 위해 도시의 문을 열었다. 얼마 후, 트로이 군대는 파괴되었고 그리스는 전쟁에서 승리했다. 오늘날 그것은 또한 컴퓨터 프로그램의 이름으로 유명하다. 그것은 겉으로는 도움이 되는 것처럼 보이지만 실제로는 자료를 파괴한다.

3 "Oh, my god, I got _____ by a bee!" When you get stung by a bee, it's really _____. At first you may feel itchy, and then it begins to burn. Usually a red spot will appear on that area, and the skin around it turns white. If you get stung by a bee, you should tell your teacher or parents right away. They will need to take the bee's _____ out of your body as soon as possible. Then wash the skin with soap and water. If it still hurts, or feels hot, you can put ice on it. Finally, if the pain is really bad, you should take an aspirin, or other _____. It helps make the pain go away. Some people are _____ to bee stings. If you are allergic to them, then you need to see a doctor immediately!

"아, 이런, 벌에 쏘였어!" 벌에 쏘였을 때, 정말 아프다. 처음에는 가렵고 그다음에 화끈거리기 시작한다. 대개는 붉은 점이 그 부분에 나타나고 주위의 피부가 하얘진다. 만약 벌에 쏘이면 선생님이나 부모님에게 당장 얘기를 해야 한다. 그분들이 가능한 한 빠르게 여러분의 몸에서 침을 빼야 할 것이다. 그리고 피부를 비누와 물로 씻어라. 여전히 아프거나 화끈거리면 그 위에 얼음을 올려라. 마지막으로, 통증이 정말 심하면 아스피린이나 진통제를 먹을 수도 있다. 그것이 통증을 없애는 데 도와줄 것이다. 어떤 사람들은 벌침에 알레르기가 있다. 여러분이 그것에 알레르기가 있다면 즉시 진찰을 받아야 한다!

A 다음 주어진 영어는 우리말로, 우리말은 영어로 쓰시오.

1 hero _____

2 regular _____

3 fail _____

4 soundless _____

5 terrible _____

6 product _____

7 environment _____

8 unnecessary _____

9 medical _____

10 laboratory _____

11 신화 _____

12 독성의 _____

13 문제 _____

14 이유 _____

15 부끄럽게 하는 _____

16 대하다, 처리하다 _____

17 살아있는 _____

18 중요한 _____

19 역할을 하다 _____

20 보호하다 _____

B 다음 주어진 해석을 참고하여, 빈칸을 알맞게 채우시오.

1 Who was the greatest hero in Greek mythology? Do you know the answer? The greatest hero of Greek mythology was Hercules. Hercules was the son of the greatest Greek _____, Zeus. His father was a god, but his mother was just a regular _____. Unluckily, his step-mother Hera didn't like him. Because Zeus had many other wives and children, Hera was under a lot of stress and wanted the demigod to _____. One day, she threw two poisonous snakes into Hercules's bed to kill him. However, her idea failed. When she returned to his bed, she was really surprised. "Oh, my god! Why is he still moving?" Hercules was still _____. And he was holding the two _____ snakes, one in each hand!

그리스 신화에서 가장 위대한 영웅은 누구였을까? 정답을 아는가? 그리스 신화에서 가장 위대한 영웅은 헤라클레스였다. 헤라클레스는 가장 위대한 신인 제우스의 아들이었다. 그의 아버지는 신이지만, 그의 어머니는 그냥 보통 사람이었다. 불행하게도, 그의 의붓어머니인 헤라는 그를 좋아하지 않았다. 제우스가 다른 많은 부인들과 자식들을 갖고 있어서 그녀는 스트레스를 많이 받았고 그 반신반인이 죽기를 원했다. 어느 날, 그녀는 헤라클레스를 죽이려 두 마리의 독사를 그의 침대로 던져 넣었다. 그렇지만, 그녀의 계획은 실패로 돌아갔다. 침대로 다시 간 그녀는, 너무나 놀랐다. "이런! 왜 그가 아직도 움직이고 있지?" 헤라클레스는 아직 살아있었다. 그리고 양손에 한 마리씩 죽은 뱀을 쥐고 있었다.

2 One day, an old woman went to see a doctor. She told the doctor about her problem. "I don't know what to do. I _____ all the time, but they're soundless and they have no _____. It's so embarrassing. I think I have some kind of problem. Please tell me what to do." "Okay. Here's a _____, Mrs. Bennet. Take these _____ three times a day for seven days. And please come back to see me after a week." A week later, Mrs. Bennet entered the doctor's office. "Doctor Harris, please tell me about the pills. After I took those pills, the problem got _____! I fart just as much, but now they smell terrible! What's the reason?" "Calm down, Mrs. Bennet," said the doctor softly. "Your nose is _____. Now let's work on your hearing!"

어느 날, 한 나이든 부인이 병원에 찾아갔다. 그녀는 의사에게 자신의 문제를 얘기했다. "어떻게 해야 할지 모르겠어요. 시도 때도 없이 방귀를 뀌는데 말이죠. 소리도 안 나고 냄새도 없으니 말이에요. 어찌나 당황스러운지. 무슨 문제가 있는 것 같단 말이에요. 어떻게 해야 할지 좀 알려주세요." "알겠습니다. 여기 처방전 받으세요, 베넷 부인. 일주일 동안 하루에 세 번씩 이 알약을 드세요. 그리고 일주일 후에 다시 오십시오." 일주일 후, 베넷 부인이 의사의 진료실로 들어갔다. "해리스 선생님, 이 알약이 무슨 약인지 말씀해 주세요. 이 알약을 먹은 후로는 문제가 더 심해졌다고요! 전처럼 여전히 방귀를 많이 뀌는데, 지금은 냄새가 지독하다고요! 이유가 뭐죠?" "진정하십시오, 베넷 부인." 의사가 조용히 말했다. "부인의 코는 치료되었습니다. 이제 청력을 치료해야겠어요!"

3 Do animals have the same _____ as humans? Many people think that they can use animals as much as possible for their needs. First of all, a lot of people hunt animals for _____. Is hunting really necessary? People also use animals for medical and scientific _____. About 115 million animals are killed in laboratory experiments around the world yearly. _____, some animals are used to make clothes or other products such as accessories or household items. Because we can make clothes from other materials, using animal furs is unnecessary. Animals are living _____ like us, and they play an important role in the environment. Therefore, we should treat animals with respect and care, and we also have to take more action to _____ the animal kingdom.

동물들도 인간과 똑같은 권리를 가지고 있는가? 많은 사람은 인간이 필요에 따라서 얼마든지 동물을 이용할 수 있다고 생각한다. 무엇보다 많은 사람들이 재미 삼아 동물을 사냥한다. 사냥이 정말로 필요한 것인가? 사람들은 또한 동물을 의학적, 혹은 과학적인 실험에 이용하기도 한다. 매년 전 세계에서 일억 천오백만 마리의 동물이 실험실의 실험에서 목숨을 잃는다. 더구나, 어떤 동물들은 옷이나 액세서리, 집안 용품과 같은 물건을 만드는 데 사용된다. 우리는 다른 재료들로 옷을 만들 수 있기 때문에 동물의 털이나 가죽을 이용하는 것은 불필요한 것이다. 동물도 우리와 같은 생명을 가진 피조물이고 환경에 중요한 역할을 한다. 그렇기 때문에, 우리는 동물들을 존중과 보살핌으로 대할 필요가 있고, 동물의 왕국을 보호하기 위해서 더 많은 조치를 취해야 한다.

A 다음 주어진 영어는 우리말로, 우리말은 영어로 쓰시오.

1 tip _____
2 worry _____
3 charity _____
4 think _____
5 common _____
6 impossible _____
7 break up _____
8 wave _____
9 movement _____
10 foreign _____

11 스트레스 _____
12 다시 말해서 _____
13 이유 _____
14 아끼다 _____
15 약속 _____
16 습관 _____
17 ~을 고수하다 _____
18 얼굴의 _____
19 표현 _____
20 완전히 _____

B 다음 주어진 해석을 참고하여, 빈칸을 알맞게 채우시오.

1 Here are some tips to be healthier!

1. Get more sleep and _____ stress. More sleep, less stress!

2. Smile more and _____ less. Do you know that frowning takes more energy than smiling? It's true, so _____ your energy and use that energy to do what you want!

3. _____ more and think less, in other words, don't get stressed or worry; just do it!

4. Say good words _____ bad. Give others a reason to smile, too!

5. Think of others before you think of yourself, more charity and less _____. Money cannot buy true happiness!

더욱 건강해질 수 있는 몇 가지 조언이 여기 있다!

1 잠을 더 자고 스트레스를 줄여라. 좀 더 자고 스트레스를 줄이자!

2 미소를 더 많이 짓고, 덜 찡그려라. 미소 짓는 것보다 찡그리는 것이 더 많은 에너지를 필요로 한다는 것을 아는가? 사실이다, 그러니까 에너지를 아끼고 그 에너지를 여러분이 하고 싶은 것을 하는 데 쓰도록 하라.

3 더 많이 실천하고 생각은 덜 해라, 다시 말해서, 스트레스를 받거나 걱정하지 말고, 그냥 실천해라!

4 나쁜 말 대신 좋은 말을 해라. 남들에게도 웃어야 할 이유를 줘라!

5 여러분 자신을 생각하기 전에 남들을 생각해라. 많이 베풀고 욕심을 줄여라. 진정한 행복은 돈으로 살 수 없다!

Answers p.22

2 One of the biggest problems of many students is that they _____ too often. They avoid doing the work that they need to do until the last minute. It is a very common problem. Then how can you change this bad habit? Here are a few tips. Decide which work is most _____, and do that first. Make a promise to yourself to finish a certain job by a certain time. If you have a big job to do, _____ it up into a few smaller jobs. It won't seem so impossible then! Find a place where you can _____ on your work. Some students can't work well at home, for example, so they go to a library when they have a big job to do. And most of all, once you find the best system for you, stick to it!

많은 학생들에게 있어 가장 큰 문제 중의 하나는 너무 자주 미룬다는 것이다. 그들은 마지막 순간까지 해야 할 일을 하지 않는다. 그것은 아주 흔한 문제다. 그러면 어떻게 이 나쁜 습관을 바꿀 수 있을까? 여기 몇 가지 비결이 있다. 어떤 일이 가장 중요한지를 결정하고 그것을 먼저 해라. 자기 자신에게 어떤 일을 특정 시간까지 마치겠다고 약속해라. 할 게 많다면 더 작은 몇 개로 쪼개라. 그러면 그리 불가능해 보이지 않을 것이다! 일에 집중할 수 있는 장소를 찾아라. 예를 들어, 어떤 학생들은 집에서 일을 잘할 수 없어서 해야 할 일이 많을 때는 도서관에 간다. 그리고 무엇보다도 여러분에게 잘 맞는 방법을 발견하면 그것을 고수해라!

3 When you want to express something without saying a word, you may use _____. Body language is nonverbal communication through movements, _____, or facial expressions. It's quite useful and helpful especially when you have some kind of _____ in communication. In some countries, the meaning of certain signs are the _____ or similar. However, sometimes the same body language in different countries can mean completely _____ things! For instance, in Bulgaria, they shake their heads from _____ to say "yes." In Korea and most western countries that gesture would mean "no!" Another example is the Korean hand gesture for "Come here." In Korea, people wave their hand with their _____ down to do this. That gesture, however, could mean "Go away!" in the US. Therefore, be careful when you use body language in foreign countries.

말을 하지 않고 어떤 것을 표현하고자 할 때 보디랭귀지를 사용할 것이다. 보디랭귀지는 움직임, 몸짓, 얼굴 표정을 통한 말을 사용하지 않는 의사소통이다. 이것은 의사소통에서 어려움을 겪을 때 꽤 유용하고 도움이 된다. 어떤 나라에서는 특정 몸짓의 의미가 같거나 비슷하다. 하지만, 가끔은 똑같은 보디랭귀지가 다른 국가에서는 전혀 다른 의미를 나타내기도 한다. 예를 들어, 불가리아에서 "그렇다"라고 말하기 위해 고개를 양 옆으로 흔든다. 한국과 대부분의 서구 국가에서는 그 몸짓이 "아니다"를 의미한다. 또 다른 예로는 "이리 와"라는 의미의 한국에서 쓰이는 손동작이다. 한국에서는 이 의미를 나타내기 위해서 손바닥을 아래쪽을 향하게 해서 손을 흔든다. 하지만 이 동작은 미국에서 "저리 가!"라는 의미가 될 수 있다. 그러므로 외국에서 보디랭귀지를 사용할 때는 조심해야 한다.

A 다음 주어진 영어는 우리말로, 우리말은 영어로 쓰시오.

1 teach _____

2 write _____

3 live _____

4 definition _____

5 body of water _____

6 freshwater _____

7 senior _____

8 turn off _____

9 fall _____

10 gravity _____

11 반면에 _____

12 ~ 대신에 _____

13 (지역에) 걸쳐있다 _____

14 (넓이) 제곱의 _____

15 정의하다, 뜻하다 _____

16 부피 _____

17 떼어내다, 제거하다 _____

18 ~가 생각나다 _____

19 법칙 _____

20 낭비하다 _____

B 다음 주어진 해석을 참고하여, 빈칸을 알맞게 채우시오.

1 Are you right-handed or left-handed? If you use your right hand for eating or writing, you're _____. On the other hand, if you use your left hand basically, you're a _____ person. Most people are right-handed, as we all know. And we're taught to use the right hand more than the left hand when eating or writing in Korea. Did you know that right-handed people _____ live nine years longer than left-handed people? Speaking of left-handed people, all _____ are left-handed. And if polar bears use their right hand instead of their left hand, they can live _____!

당신은 오른손잡이인가, 왼손잡이인가? 먹거나 글씨를 쓸 때 오른손을 사용한다면 당신은 오른손잡이이다. 반대로, 기본적으로 왼손을 쓴다면 당신은 왼손잡이이다. 우리 모두가 알다시피, 대부분 사람들은 오른손잡이이다. 그리고 한국에서 우리는 먹거나 글씨를 쓸 때 왼손보다는 오른손을 쓰라고 배운다. 오른손잡이인 사람들이 왼손잡이인 사람들보다 평균적으로 9년 정도 더 오래 산다는 것을 알고 있는가? 왼손잡이인 사람들 얘기가 나와서 말인데, 모든 북극곰들은 왼손잡이이다. 그리고, 만약에 북극곰이 왼손이 아니라 오른손을 사용한다면 더 오래 살 수 있을 것이다!

Answers p.22

2 The dictionary definition of the word "lake" is a large area of water _____ by land. However, there are a few different ways to define the world's largest lake. If we define a lake as an _____ body of water, in terms of total area, the largest lake is the Caspian Sea in Asia at 370,886 square kilometers. As the Caspian Sea used to be _____ to the ocean, it is still salt water. If we define a lake as freshwater covering the _____ area, the world's largest lake is Lake Superior in North America, between Canada and the United States. Lake Superior covers over 82,100 _____ kilometers, a bit smaller than South Korea. In terms of _____, Lake Baikal in Siberia is the largest. It holds about 23,000 _____ kilometers and takes up about 20% of the world's fresh surface water. It is also the deepest lake at 1,637 meters.

'호수'의 사전적 정의는 육지로 둘러싸인 넓은 수역이다. 하지만, 세계에서 가장 큰 호수를 정의하는 데는 몇 가지 다른 방법이 있다. 우리가 호수를 고여 있는 물의 덩어리라고 정의한다고 할 때 전체 면적에서 보면, 가장 큰 호수는 아시아의 카스피해로 370,886 평방 킬로미터이다. 카스피해는 바다와 연결되어 있었기 때문에 아직도 염수이다. 만약 우리가 호수를 표면을 덮고 있는 담수라고 정의한다면 세계에서 가장 큰 호수는 캐나다와 미국 사이에 위치한 북미에 있는 슈피리어 호수이다. 슈피리어 호수는 82,100 평방 킬로미터가 넘으며 한국보다 약간 작은 크기이다. 부피에 대해서 보자면 시베리아에 있는 바이칼 호수가 가장 크다. 바이칼 호수는 23,000 입방 킬로미터만큼의 물이 있는데 이것은 전 세계의 민물의 20%에 해당한다. 또한, 깊이가 1,637미터로 가장 깊은 호수이기도 하다.

3 Michelangelo's Mother: "Can't you just paint on walls like other kids? Do you know how hard it is to get this off the _____?"
Abraham Lincoln's Mother: "Are you _____ that same stove pipe hat again? Can't you just wear a baseball cap like all the other boys _____?"
Einstein's Mother: "Come on, Albert, it's your senior picture! Can't you do something about your _____? Maybe use some gel, mousse or something!"
Thomas Edison's Mother: "Of course, I am proud of you, Thomas, you invented the _____! But it's very late now, so turn it off and go to bed!"
Newton's Mother: "I know the falling apple helped you come up with the idea of the law of _____, but stop wasting your time under the apple tree!"

미켈란젤로의 엄마: "다른 아이들처럼 그냥 벽에 그림을 그릴 수 없겠니? 천장에서 그것을 떼는 게 얼마나 어려운지 아니?"
에이브러햄 링컨의 엄마: "넌 또 그 똑같은 스토브 파이프 모자 (검고 기다란 모자)를 쓰고 있니? 네 또래의 다른 모든 남자애들처럼 그냥 야구 모자를 쓸 수 없니?
아인슈타인의 엄마: "그건 아냐, 앨버트, 너의 졸업 앨범 사진이잖니! 네 머리 좀 어떻게 할 수 없니? (헤어)젤이나 무스나 뭐라도 좀 사용해 봐!
토머스 에디슨의 엄마: "물론 난 네가 자랑스럽단다, 토마스야, 네가 전구를 발명했잖아! 그렇지만, 지금은 많이 늦었으니 불을 끄고 잠을 자렴!"
뉴턴의 엄마: "떨어지는 사과가 너에게 중력의 법칙에 대한 아이디어를 떠올리게 도움을 주었다는 것을 알고 있지만, 사과나무 아래서 시간 낭비 좀 그만하렴."

A 다음 주어진 영어는 우리말로, 우리말은 영어로 쓰시오.

1 dizzy   _____

2 soar   _____

3 wooden   _____

4 flight   _____

5 provide   _____

6 belief   _____

7 during   _____

8 fit   _____

9 specialist   _____

10 wonder   _____

11 매력적인   _____

12 기억, 추억   _____

13 ~에 참여하다   _____

14 국제적인   _____

15 올려다보다   _____

16 잊다   _____

17 화장지, 휴지   _____

18 좀처럼 ~하지 않다   _____

19 체형, 형태   _____

20 다양한   _____

B 다음 주어진 해석을 참고하여, 빈칸을 알맞게 채우시오.

1 The sky was full of air _____ of fascinating colors and shapes. They caught my eyes and I looked up to see the sky until I felt dizzy. I rode in a balloon, and it rose to the sky and _____ into the clear air, providing an amazing view. Soaring at eye level with mountain _____, I was able to see a green pasture and wooden chalets. The 90-minute flight over the valley is one of my _____ memories. It was a bit pricey at $200 for a backpacker like me, though. At this time of year, the last week of January, I am dying to travel to Switzerland and _____ in the International Hot Air Balloon Festival.

하늘이 매혹적인 색깔과 모양의 풍선들로 가득했다. 그것들이 내 시선을 사로잡았고, 나는 어지러워질 때까지 하늘을 올려다보았다. 난 열기구 하나를 탔고 그것은 하늘로 올라 놀라운 광경을 연출하면서 맑은 공중으로 둥둥 떠다녔다. 산 정상이 내 눈높이가 될 때까지 솟아오르자, 나는 파란 초원과 나무집들을 볼 수 있었다. 계곡 위로 90분 동안의 비행은 내가 잊을 수 없는 기억 중의 하나이다. 나 같은 배낭 여행객에게는 좀 비싼 200불이라는 가격이었지만 말이다. 매년 이맘때 1월의 마지막 주가 되면 나는 스위스로 여행을 가서 '국제 열기구 축제'에 참가하고 싶어 죽을 지경이다.

Answers p.22

2 "Didn't you wash your hair this morning?" "No, I didn't. I have _____ this week, Mom. So I'll wash my hair after all the exams are finished." Many of you would agree with this idea, right? Students don't _____ their hair during exam periods. They think that if they wash their hair, they will _____ everything that they have studied. This is one of the _____ about exams in Korea. Not only this! You would never eat seaweed soup in the morning during an exam period. Another one is that people sometimes give a roll of _____ to the test taker. Besides these, there are more superstitions on exams. But remember! Superstitions are just superstitions. Superstitions are usually _____ beliefs. The important thing is to study hard and do your best.

"너 아침에 머리 안 감았니?" "네, 안 감았어요. 이번 주에 시험이 있거든요, 엄마. 그러니까 시험이 다 끝난 후에 머리를 감을 거예요." 여러분 중 많은 사람들은 이런 생각에 동의할 것이다. 그렇지 않은가? 학생들은 시험 기간에 머리를 감지 않는다. 머리를 감으면, 공부한 모든 것을 잊어버리게 된다고 생각한다. 이것이 한국에서 시험과 관련된 미신들 중의 하나이다. 이것만이 아니다! 시험 기간 중에는 아침에 절대로 미역국을 먹지 않을 것이다. 또 다른 미신으로 사람들은 종종 시험을 치르는 사람에게 두루마리 휴지를 주기도 한다. 이것들 말고도 시험에 대한 더 많은 미신이 있다. 하지만, 기억해라! 미신은 그냥 미신일 뿐이다. 미신은 대개 잘못된 믿음이다. 중요한 것은 열심히 공부하고 최선을 다하는 것이다!

3 How often do you _____? Some people have enough time to exercise, so they work out almost every day. Others barely work out for various reasons. Most people say they are too _____ to work out. Many exercise-lovers wonder how often and how much they should exercise. In other words, what's the _____ amount of exercise you should do to stay healthy and fit? What number do you guess? Five days a week? An hour a day? The answer is it depends on the person. Everyone is in different _____. It means that the proper amount of exercise _____ from person to person. Many health specialists say that any exercise is better than none and inactivity is bad. However, the most important thing is that you should have a goal and work towards it.

얼마나 자주 운동하는가? 어떤 사람들은 운동할 충분한 시간이 있어서 거의 매일 운동을 한다. 다른 사람들은 다양한 이유 때문에 거의 운동을 하지 않는다. 대부분의 사람들은 너무 바빠서 운동을 할 수 없다고 한다. 운동을 좋아하는 많은 사람은 운동을 얼마나 자주, 얼마나 많이 해야 하는지 궁금해한다. 다시 말하면, 건강을 유지하기 위한 적절한 운동량은 얼마일까? 얼마라고 당신은 추측하는가? 일주일에 5일? 하루에 한 시간? 정답은 사람에 따라 다르다는 것이다. 모든 사람은 각자 체형이 다르다. 그것은 적정 운동 시간이 개인마다 다르다는 것을 의미한다. 많은 건강 전문가들은 어떤 운동이라도 안 하는 것보다 낫고, 비활동적인 것은 좋지 않다고 말한다. 그러나 가장 중요한 것은 목표를 갖고 그것을 향해 노력해야 한다는 것이다.

A 다음 주어진 영어는 우리말로, 우리말은 영어로 쓰시오.

1	overcooked	_____	11	흘러내리는	_____
2	solid	_____	12	얼린	_____
3	complicated	_____	13	미지근한	_____
4	neighborhood	_____	14	특별한	_____
5	favorite	_____	15	어른	_____
6	owner	_____	16	어린 시절	_____
7	ignoble	_____	17	발생하다	_____
8	ceremony	_____	18	포함하다	_____
9	announce	_____	19	수상자	_____
10	award	_____	20	발명가	_____

B 다음 주어진 해석을 참고하여, 빈칸을 알맞게 채우시오.

1 A man came into a restaurant and placed an order. "Good morning. I'd like two _____ eggs with bacon and toast, please. Make one of the eggs so _____ that it's runny. And the other so overcooked that it's hard and tough to eat. I want the bacon old and cold, and please burn the toast so that it _____ as soon as I touch it with a knife. And I'd like some frozen solid butter that doesn't _____. Finally, I'd like a cup of lukewarm, _____ coffee." "Umm, well sir, I'm not sure if we can do that. That's kind of a complicated order." "Complicated? What are you talking about? That's _____ what you gave me yesterday!"

한 남자가 식당으로 들어와서 주문했다. "안녕하세요. 삶은 달걀 두 개랑 베이컨과 토스트를 주세요. 달걀 중 하나는 아주 덜 익어서 흘러내리게 해주시고요. 다른 하나는 아주 푹 익혀서 먹기에 딱딱하고 질기게 만들어주십시오. 베이컨은 오래되고 차가운 것으로 원하고요. 토스트는 칼을 대자마자 부서지도록 태워주세요. 그리고 얼음처럼 딱딱해서 발라지지도 않는 버터도 주세요. 마지막으로 미지근하고 연한 커피도 한 잔이요." "음, 저기 손님, 그렇게 해 드릴 수 있을지 모르겠습니다. 그건 좀 복잡한 주문이라서요." "복잡하다고요? 무슨 소리를 하시는 거예요? 어제 당신이 나한테 준 것과 정확히 똑같은 것인데!"

Answers p.22

2 Do you want to do something fun in your neighborhood? Here is a fun idea; create your own neighborhood _____ ! You may think it is really difficult and it takes lots of time. But it doesn't have to be a big newspaper; just a few pages are enough. You can have _____ topics in your paper: big news of the week, joke of the week, and special person of the week. You can _____ your friends and find out their dreams, favorite things, and their hobbies. You can also have an interview with adults and ask them their childhood _____, and their first loves. When you finish making the newspaper, you and your friends can start to _____ it. Take it to different shops, and ask the owners to _____ it. Who knows, your paper might become the most popular in the neighborhood!

당신은 동네에서 무언가 재미있는 일을 해 보고 싶은가? 여기 재미있는 아이디어가 하나 있다. 당신의 동네 신문을 만들어 보아라. 당신은 그것이 어렵고 시간이 많이 걸릴 거라고 생각할 수도 있다. 그러나 그것이 대단한 신문일 필요는 없다. 단지 몇 페이지만 되면 충분하다. 신문 안에 주간 주제를 다룰 수 있다. 그 주의 화제 소식, 그 주의 유머, 그 주의 특별한 인물 말이다. 친구들을 인터뷰해서 그들의 꿈, 좋아하는 것, 그리고 그들의 취미가 무엇인지 알아낼 수도 있다. 당신은 또한 어른들을 인터뷰해서 그들의 어린 시절의 꿈들 그리고 첫사랑에 대해서 물어 볼 수도 있다. 신문 만드는 것을 다 마치면 당신과 친구들이 그것을 배포하기 시작할 수 있다. 여러 가게에 가져가 가게 주인에게 신문을 비치해 달라고 부탁해라. 누가 아는가? 당신의 신문이 동네에서 가장 인기 있게 될지!

3 As everyone knows, the Nobel Prize is one of the most _____ awards in the world. Then, have you ever heard of the Ig Nobel Prize? The Ig Nobel Prize is a _____ of the Nobel Prize. It makes people laugh and think. The name of the award is a _____ on a word "ignoble." It means dishonorable or _____. The award ceremony is held at Harvard University's Sanders Theater a week or two before the real Nobel Prize recipients are announced. Past winners _____ the inventor of the self-perfuming business suit, the creator of Murphy's Law, and even the researchers who found out that fleas living on dogs jump higher than those living on cats.

모든 사람이 알다시피 노벨상은 세계에서 가장 권위 있는 상 중의 하나이다. 그러면, 이그 노벨상을 들어본 적이 있는가? 이그 노벨상은 노벨상을 패러디한 상이다. 그것은 사람들을 웃고 생각하게 만든다. 이 상의 이름은 'ignoble(수치스러운)'이라는 단어의 말장난이다. 그것은 '불명예스러운' 또는 '창피한'을 의미한다. 이 시상식은 진짜 노벨상 수상자가 발표되기 1~2주 전에 하버드 대학교의 샌더스 시어터에서 열린다. 과거의 수상자 중에는 향기나는 양복의 발명가, 머피의 법칙을 만든 사람, 그리고 개에 사는 벼룩이 고양이에 사는 벼룩보다 더 높이 뛴다는 것을 발견한 연구자들을 포함한다.

09

A 다음 주어진 영어는 우리말로, 우리말은 영어로 쓰시오.

1 acne _____
2 condition _____
3 mineral _____
4 teenager _____
5 bring _____
6 earl _____
7 servant _____
8 material _____
9 environment _____
10 disposable _____

11 약 _____
12 비타민 _____
13 순한 _____
14 촉촉하게 하다 _____
15 조각 _____
16 맛있는 _____
17 기구, 단체 _____
18 재활용하다 _____
19 똑똑하게 _____
20 다시 채워넣다 _____

B 다음 주어진 해석을 참고하여, 빈칸을 알맞게 채우시오.

1 What do you think about acne? It is the _____ of every teenager. In English, this condition is often called zits. Teenagers commonly get zits, but adults can get them, too. So it's good for everyone to know how to _____ them. How can we avoid them? First of all, it's good to eat a lot of fruits and vegetables. They keep your skin _____ and help give it the vitamins and minerals that it needs to stay clean and healthy. If you find some zits on your face, you should wash your face a bit more often. But be sure to wash it _____, using a mild soap. If you _____ your face too hard, the zits on your face will become worse! If you have a really bad case of acne, it is a good idea to go see a dermatologist. Sometimes a dermatologist can give you _____ that will help get rid of your acne.

여드름에 대해 어떻게 생각하는가? 그것은 모든 십 대들에게는 악몽이다. 영어로는, 종종 이 상태를 zits(여드름)라고 한다. 십 대들은 여드름이 흔히 나지만 어른들도 날 수 있다. 그래서 모든 사람들이 그것을 치료하는 방법을 알아두면 좋다. 어떻게 여드름을 피할 수 있을까? 먼저, 과일과 채소를 많이 먹는 것이 좋다. 그것들은 피부를 촉촉하게 하고 깨끗하게 하며 건강하게 유지하는 데 필요한 비타민과 미네랄을 공급해주는 데 도움을 준다. 얼굴에서 여드름을 발견하면 조금 더 자주 얼굴을 씻어야 한다. 하지만 반드시 순한 비누를 이용해서 부드럽게 씻어야 한다. 너무 세게 얼굴을 문지르면, 얼굴의 여드름이 더 악화될 수 있다! 여드름이 정말 심한 경우라면 피부과 의사를 찾아가는 것이 좋은 생각이다. 때로는 피부과 의사들이 여드름을 없애는 데 도움이 되는 약을 줄 수도 있다.

2 "Mom, I'm hungry. Is there anything to eat?" "Sure! There are some sandwiches on the kitchen table." "Oh, thank you, Mom!" Do you like sandwiches? Do you know how the sandwich got its _____? A long time ago, in the 1700s in England, there was a man named John Montagu, the Earl of _____. He really liked playing cards. During one game he felt hungry, so he asked one of his servants to bring him some _____. The servant asked, "What kind of food do you want?" Then he said, "Something tasty. But I don't want to get my hands dirty or _____ while I'm playing." At first, the servant had no idea what to do, so the Earl told him to put some meat _____ two pieces of bread. That's how the sandwich got its name; it was named after the Earl, and his title was 'The Earl of Sandwich.'

"엄마, 배고파요. 먹을 거 없어요?" "물론 있지! 식탁에 샌드위치가 있단다." "아, 감사합니다, 엄마!" 당신은 샌드위치 좋아하는가? 당신은 샌드위치가 어떻게 그 이름 갖게 되었는지 아는가? 오래 전에, 영국의 1700년대에 샌드위치 지방의 백작인 존 몬태규라는 이름의 한 남자가 있었다. 그는 카드 게임을 정말 좋아했다. 게임을 하는 동안 그는 배가 고파서 하인 중 한 명에게 먹을 음식을 가져오라고 했다. 하인은 "어떤 종류의 음식을 원하세요?"라고 물었다. 그러자, 그는 "뭔가 맛있는 것. 하지만 내가 게임을 하는 동안 내 손이 더러워지거나 기름에 묻는 것은 원하지 않네."라고 말했다. 처음에 그 하인은 뭘 해야 할지 몰랐다. 그래서 백작은 하인에게 두 조각의 빵 사이에 고기를 넣으라고 했다. 그렇게 해서 샌드위치라는 이름을 갖게 된 것이다. 즉, 백작의 이름을 따왔는데 그의 작위가 '샌드위치 백작'이었다.

3 What can you do to _____ the environment? What you need to do is not a big thing; just be a little more _____ about the earth. For example, being a smart shopper is one of the ways. Then how can you shop smartly? Here are a few tips to be a smart shopper. First, buy _____ products. Most supermarkets these days sell products that are recycled, like paper, toilet paper, and trash bags. Second, buy _____. Buy larger amounts of a product such as large soda bottles and laundry soap boxes. They help to reduce the amount of _____ that is produced from the products. The bigger the ones you buy, the fewer boxes you have to throw away. Third, don't buy disposable items. Paper plates and utensils are used only _____ and thrown away. So they only make more garbage. Finally, buy things that you can _____ like dish soap and other washing materials. It helps reduce the amount of garbage, and save your money.

환경을 보호하기 위해서 당신이 무엇을 할 수 있을까? 당신이 해야 하는 일은 큰 것이 아니다. 단지 지구에 조금만 더 관심을 두면 된다. 예를 들어, 현명하게 쇼핑하는 사람이 되는 것이 좋은 방법 중 하나이다. 그렇다면, 어떻게 현명하게 쇼핑을 할 수 있을까? 현명한 구매자가 되기 위한 몇 가지 간단한 요령이 여기 있다. 첫째, 재활용이 되는 제품들을 사라. 요즘은 대부분의 슈퍼마켓에서 종이, 화장지, 쓰레기 봉지 등 재활용이 되는 제품들을 판매하고 있다. 둘째, 대량으로 사라. 대용량 음료수나 세제용품과 같이 더 많은 양의 제품을 사라. 그것들은 제품에서 나오는 쓰레기의 양을 줄여준다. 더 큰 용량을 살수록 더 적은 양의 상자를 버리게 된다. 셋째, 일회용품은 사지 마라. 종이 접시나 식기류(숟가락, 젓가락 등)들은 한 번 사용하고 나면 버려진다. 따라서 그것들은 단지 쓰레기만 더 만들어 낼 뿐이다. 마지막으로, 주방 세제나 다른 세제용품들은 리필할 수 있는 것들로 사라. 그것은 쓰레기 양을 줄이고 돈을 절약하는 데 도움을 준다.

A 다음 주어진 영어는 우리말로, 우리말은 영어로 쓰시오.

1	closet	_____	11	느긋한	_____
2	shout	_____	12	흔들리다	_____
3	sight	_____	13	두려운	_____
4	rush	_____	14	끔찍한	_____
5	pity	_____	15	일출	_____
6	consider	_____	16	~와 사랑에 빠지다	_____
7	sunset	_____	17	꽃잎	_____
8	jaw	_____	18	먹잇감	_____
9	prove	_____	19	슬픔	_____
10	refer to	_____	20	흘리다	_____

B 다음 주어진 해석을 참고하여, 빈칸을 알맞게 채우시오.

1 It's late at night. You look out of your bedroom window, and you see dark clouds _____. It's really dark and cold. Oh, it begins to rain! Suddenly you hear terrible sounds, and your room begins to shake. Then you may shout, "Oh, my god! My room is shaking. What should I do?" Then you see _____ of light in the sky. You know that the sights and sounds are _____ and _____, but you are afraid. You can't think of anything. In your fear you rush to your bedroom closet to hide. You wait for the _____ to finish. Only when the storm finishes, you're able to come out of your closet and feel relaxed. And then you realize that you have a _____ of thunder and lightning.

늦은 밤이다. 당신은 침실 창문 밖을 내다보고 먹구름이 다가오는 것을 본다. 너무나 어둡고 춥다. 이런, 비가 오기 시작한다! 갑자기 당신은 굉장한 소리를 듣고 당신의 방이 흔들리기 시작한다. 그러면 당신은 소리를 지를 수도 있다. "세상에! 내 방이 흔들려. 어떻게 해야 하지?" 그러고 나서 당신은 하늘에서 섬광을 본다. 당신은 그 광경과 소리의 정체가 천둥과 번개라는 것을 안다. 하지만 당신은 두렵다. 아무 생각도 할 수 없다. 당신은 무서워서 침실 벽장으로 숨으러 달려간다. 당신은 폭풍이 멈추기만 기다린다. 폭풍이 끝나고 나서야 당신은 벽장에서 나오고 안심할 수 있다. 그러면 당신은 자기 자신이 천둥과 번개에 대한 두려움을 가지고 있다는 것을 알게 된다.

2 How did _____ get their name? That'll be because they have bright yellow petals coming out from the center, just like the bright _____ of the sun. There is also a legend about sunflowers from Greek mythology. One day Clytie the water nymph saw Apollo, the god of the _____, moving across the sky in his sun carriage. As soon as she saw him, she fell deeply in _____ with him. But Apollo didn't like her. So, she just sat and _____ the sky to see the sun from sunrise to sunset. Finally, the gods felt pity for her and turned her into a sunflower. For this reason, sunflowers are considered a symbol of warmth and _____, and also a sign of a long and happy life.

해바라기들은 어떻게 그런 이름을 가지게 되었을까? 그건 아마도 해바라기가 마치 태양의 밝은 광선들처럼 가운데에서 나오는 노란색의 환한 꽃잎을 지니고 있기 때문일 것이다. 그리스 신화에 해바라기에 관한 전설도 있다. 어느 날 물의 요정 클뤼티에가 태양의 신인 아폴로가 태양 수레를 타고 하늘을 날아가는 것을 보았다. 그녀는 그를 보자마자 그와 깊은 사랑에 빠졌다. 하지만, 아폴로는 그녀를 좋아하지 않았다. 그래서 그녀는 그저 앉아서 해가 뜰 때부터 질 때까지 하늘을 올려다보았다. 마침내, 신들이 그녀를 불쌍히 여겨 그녀를 해바라기로 만들어 주었다. 이런 이유로 해바라기는 따뜻함과 애정의 상징으로 여겨지고 있으며, 또한 길고 행복한 삶의 표시로도 여겨진다.다.

3 "O devil, devil!
If that the earth could teem with woman's tears,
Each drop she falls would prove a crocodile.
Out of my sight!"

In the last part of Shakespeare's Othello, Othello shouts these above lines when he sees his wife's _____. Othello thinks that she is crying to _____ her true feelings. Why a crocodile? The idea comes from an old story that crocodiles _____ tears while catching or swallowing their prey. In fact, crocodiles don't actually cry because they feel _____. When they open their mouths and move their jaws, this puts _____ on the tear glands. And the tears from the glands keep the eyes clean and wet. So, the term "crocodile tears" refers to a _____ display of sadness.

"오 악마, 악마여! 대지가 여자의 눈물로 가득 찬다면, 그녀의 떨어지는 눈물방울은 악어로 변할 것이오. 꺼져버려"

셰익스피어의 '오셀로(Othello)'의 마지막 장면에서 오셀로는 아내의 눈물을 보고 위의 대사를 외친다. 오셀로는 그녀가 자신의 진실된 감정을 숨기기 위해 눈물을 흘린다고 생각한다. 그런데 왜 악어일까? 이 개념은 악어가 먹이를 잡거나 삼킬 때 눈물을 흘린다는 오랜 이야기에서 비롯된다. 사실, 악어는 미안함을 느껴서 우는 것이 아니다. 그것들이 입을 벌리고 턱을 움직일 때 이 행동이 눈물 샘에 압력을 가하게 된다. 그리고 눈물 샘에서 나오는 눈물은 눈을 깨끗하고 촉촉한 상태로 유지해준다. 따라서 '악어의 눈물'이라는 용어는 거짓된 슬픔의 표현을 나타낸다.

MEMO

기초 독해의
확실한 해결책

THIS IS READING

Starter

정답 및 해설

1

NEXUS Edu

# UNIT 01

독해탄탄 VOCA Check 1   p. 012

01 질문 / 긴, 오랜 / 목소리 / ~보다 위에 / 말하다
소년 / 대답하다 / 계속하다 / 주다 / 기다리다

02 솔질하다 / 발명하다 / 현대의 / 동물 / 치아
낙타 / 야크 / 거친 / 세균 / 칫솔

03 감정적인 / 예, 본보기 / 배우다 / 성적, 학점 / 화난, 성난
잘못된 / 잃어버리다 / 성질 / 과목 / 의사소통하다

독해탄탄 VOCA Check 2   p. 013

1 invent   **2** question   **3** subject

4 temper   **5** germ

1 발명하다: 칫솔은 어디서 발명되었는가?

2 질문: 저는 당신에게 질문이 있습니다.

3 과목: 그는 늘 학교에서 전과목에서 높은 성적을 받는다.

4 성질: 그는 쉽게 성질을 부린다.

5 세균: 그 동물 털은 세균이 많이 있었다.

01 | Funny Stories
p. 015

1 ⑤   **2** ⑤   **3** ④

본문 해석

"하나님, 질문이 있어요. 백만 년이 정확히 얼마나 긴지 말씀해 주실 수 있으세요?" 위에서 굵은 목소리로 "백만 년은 1분과 같단다."라고 말했다. "알겠어요."라고 소년은 말했다. "그러면 백만 달러는 얼마인지 말해 주실 수 있으세요?" 굵은 목소리로 다시 대답했다. "백만 달러는 1페니와 같단다." "음." 소년은 이어서 말했다. "알겠어요, 그러면 제게 그 페니 중 하나만 주실 수 있으세요?" "1분만 기다리거라!" 굵은 목소리로 답변했다.

문제 해설

1 (A)는 백만 년은 시간의 길이이므로 how long이, (B)는 백만 달러는 돈의 액수이므로 how much가 적절하다.

2 하나님이 백만 달러는 1페니와 같다는 비유에, 소년이 그러면 그 1페니만 달라고 말한다. 이것은 1백만 달러를 달라는 말이다. 이에 대해 하나님은 1분만 기다리라고 말한다. 앞서 1백만 년은 1분과 같다고 말했으므로, 이는 1백만 년을 기다리라는 말이 된다. 따라서 정답은 ⑤이다.

3 이 글은 1페니라는 말로 1백만 달러를 거저 얻으려는 소년에게 하나님이 1분이라는 말로 1백만 년을 기다려야 한다며 재치 있게 응수하고 있으므로 이 글의 분위기로 가장 적절한 것은 ④ funny(재미 있는)이다.
① 슬픈 ② 무서운 ③ 생동감 있는 ⑤ 평화로운

직독 직해

1 하나님 / 저는 ~가 있어요 / 질문이 / 당신에게
→ 하나님, 당신에게 질문이 있어요.

2 백만 년은 / ~와 같다 / 1분
→ 백만 년은 1분과 같다.

3 ~해 주실래요? / 저에게 주세요 / 단 하나만 / 그 페니들 중에서
→ 저에게 그 페니들 중 하나만 주실 수 있나요?

02 | Origin
p. 017

1 ②   **2** ②   **3** ①, ③

4 to keep our teeth clean

본문 해석

"필립! 양치질 했니?" "알았어요, 엄마. 지금 할게요. 그런데, 엄마, 어디에서 칫솔이 발명되었어요?" 여러분은 그 답을 아세요? 글쎄, 알고 싶을 거예요. 실제로, 오늘날 현대의 칫솔은 천 년 전 몽골과 중국의 북부지역에서 기원을 찾을 수 있어요. 그때, 사람들은 이를 닦기 위해 동물 털을 사용했어요. 동물 털은 종종 말, 낙타, 그리고 야크의 것이었죠. 그 동물 털은 꽤 거칠어서 유럽에 처음 그 칫솔이 전해졌을 때 그리 인기가 있지는 않았어요. 사람들은 또한 동물 털에 세균이나 박테리아가 많다는 것을 알게 되었죠. 그래서 현대의 칫솔은 이를 깨끗하게 하고 세균 감염도 피하도록 만들어졌어요.

문제 해설

1 이 글은 칫솔의 기원에 대해 설명하고 있으므로 정답은 ②이다.

2 삽입 문장은 동물의 털을 이용해서 양치질을 했다는 내용인데, 이 문장의 At that time은 (B) 앞에 언급된 a thousand years ago를 가리키며, (B) 뒤의 The animal hairs는 삽입 문장의 animal hairs를 받아 부연 설명하는 데 쓰이고 있으므로, 삽입 문장의 자연스러운 위치는 (B)가 된다.

3 최초의 칫솔은 동물의 털로 만들어져서 솔이 거칠고, 균이 많다고 했으므로 정답은 ①, ③이다.

4 목적(~하기 위해서)은 to부정사를 써서 나타낼 수 있고, keep은 〈keep+목적어(our teeth)+목적격 보어(clean)〉 형식을 취한다. 이를 종합하면 to keep our teeth clean이 된다

직독 직해

1 그런데 / 엄마, / 어디서 / 칫솔이 발명되었나요?
→ 그런데, 엄마, 어디서 칫솔이 발명되었나요?

2 ~일 때 / 칫솔이 / 처음 / 유럽에 왔다 / 그것들은 / 인기가 많지 않았다
→ 칫솔이 처음 유럽에 왔을 때, 그것들은 인기가 많지 않았다.

3 그래서 / 현대의 칫솔은 / 만들어졌다 / 피하도록 / 세균 감염을
→ 그래서 현대의 칫솔은 세균 감염을 피하도록 만들어졌다.

본문 해석

IQ는 지능 지수를 나타내고, EQ는 감성 지수를 나타낸다. 하지만, 이 둘 사이에는 거의 연관성이 없다. IQ가 높은 사람이 EQ도 높다는 것을 의미하지는 않는다. 예를 들어보자. 사무엘은 IQ가 높다. 아주 똑똑하고 어떤 것이든 쉽게 기억하고 빨리 배운다. 물론, 학교에서 어떤 과목에서든 높은 점수를 받는다. 반면, 자신의 감정이든 다른 사람의 감정이든 감정을 알아차리는 데는 능숙하지 못하다. 그래서 그는 친구들이나 주변의 다른 사람들과 좋은 관계를 맺기가 어렵다. 뭐가 잘 안되면 쉽게 흥분하고 화를 낸다. 그는 다른 사람들을 잘 이해하지도 못해서 남과 소통을 잘 못한다.

문제 해설

1 이 글은 IQ가 높다고 해서 EQ도 높은 것은 아니라는 것을 예를 들어 설명하고 있으므로 정답은 ⑤이다.
2 EQ는 감성 지수로 EQ가 낮으면 자신이나 다른 사람의 감정을 파악하기 어려워서 좋은 인간관계를 형성하는 것이 어려울 수 있다고 했다. 이로 미루어보아 정답은 ⑤가 적절하다.
3 stands for는 '상징하다'라는 뜻으로 의미가 같은 단어는 ② means(뜻하다)이다.
    ① 이해하다 ③ 배우다 ④ 느끼다 ⑤ 만들다

직독 직해

1 누군가 / 아이큐가 높은 / 의미하지 않는다 / ~라는 것을 / 그 또는 그녀가 / 감성 지수가 높다
    → 아이큐가 높은 사람이라고 해서 감성 지수가 높다고 할 수는 없다.
2 반면에 / 그는 / 잘 못한다 / 알아차리는 것을 / 감정을
    → 반면에 그는 감정을 알아차리는 것을 잘 못한다.
3 쉽지 않다 / 그가 / 좋은 관계를 형성하는 것은 / 친구들과
    → 그가 친구들과 좋은 관계를 형성하는 것은 쉽지 않다.

Words Review			p. 020
1 emotional	2 rough	3 reply	
4 notice	5 germ		

1 감정적인
2 거친
3 답변
4 발견하다
5 세균

UNIT 02

독해탄탄 VOCA Check 1	p. 022

01 장미 / 질투 / 우정 / 생각하다 / 화창한
    따뜻함 / 다른 / 사랑 / 목적 / 기운을 내다
02 분수 / 유명한 / 던지다 / 역사 / 동전
    전설 / 듣다 / 모으다 / 돈 / 가난한
03 (유리) 컵 / 첨가하다 / 체중 / 가장 좋아하는 / 약국
    조심하는 / 충치 / 만들다 / 혼합물 / 청량음료

독해탄탄 VOCA Check 2			p. 023
1 different	2 friendship	3 throw	
4 pharmacy	5 cavity		

1 다른: 그 의미는 지금은 매우 다르다.
2 우정: 오늘날 그것들은 주로 행복이나 우정의 표시이다.
3 던지다: 많은 사람들은 매일 그 분수에 동전을 던져 넣는다.
4 약국: 코카콜라의 첫 잔은 한 약국에서 구매되었다.
5 충치: 만일 당신이 그것을 너무 많이 마시면, 충치가 생길 수 있다.

01 | Interesting Facts			p. 025
1 ①	2 different	3 ④	

본문 해석

과거에는 노란 장미는 질투를 상징했었다. 그렇지만, 지금은 그 의미가 매우 다르다. 오늘날 그것은 주로 행복과 우정을 상징한다. 그 색깔 때문에 노란 장미는 사람들이 밝고 화창한 날을 생각하게 만든다. 그러한 느낌은 따뜻함과 행복을 가져다 준다! 노란 장미는 사랑이나 로맨스가 아니라 그냥 우정을 상징하는 것이기 때문에 빨간 장미와는 다르다. 사람들은 대개 좋은 친구들에게 노란 장미를 준다. 그들의 목적은 친구들이 우울할 때 기운을 북돋아주기 위한 것이다.

문제 해설

1 노란 장미는 과거에 질투를 상징했지만, 오늘날에는 행복과 우정을 상징한다고 했으므로 정답은 ①이다.
2 빨간 장미는 사랑과 연애를 상징하는 반면 노란 장미는 우정과 행복을 상징하므로 둘은 같지 않다. 본문에서 빈칸에 적절한 단어를 찾아보면 different가 있다. A is different from B는 'A는 B와 다르다'라는 뜻으로 쓰인다.
3 down은 '아래로', '아래의'라는 뜻 외에 감정을 나타낼 때 '슬픈'이라는 뜻이 있다. 따라서 밑줄 친 feel down과 뜻이 같은 단어는 ④ sad(슬픈)이다.
    ① 질투하는 ② 낭만적인 ③ 자랑스러운 ⑤ 행복한

직독 직해

1 ~때문에 / 그것들의 색깔 / 그것들은 / 만든다 / 사람들이 / ~에 대해 생각하도록 / 밝게 햇살이 비치는 날
→ 그 색깔 때문에 노란 장미는 사람들이 밝고 화창한 날을 생각하게 만든다.

2 그것들은 / 단지 ~이다 / 상징 / 우정의 / 아닌 / 사랑이나 로맨스가
→ 그것들은 사랑이나 로맨스가 아닌 그저 우정의 상징이다.

3 그들의 목적은 / 기운을 북돋우는 것이다 / 그들의 친구를 / ~할 때 / 그들이 우울하다
→ 그들의 목적은 친구들이 우울할 때 기운을 북돋아주기 위한 것이다.

02 | Travel
p. 027

| 1 ① | 2 ① | 3 legend | 4 fountain |

본문 해석

당신은 '트레비 분수'에 대해 들어 본 적이 있는가? 그것은 로마에서 가장 유명한 분수이다. 그 아름다움뿐만 아니라 '동전 던지기' 전설로도 유명하다. 그것은 그 역사와 민간 설화에 전해지는 내용이다. 트레비 분수에 동전을 던지는 것과 관련해서 많은 전설이 있다. 가장 유명한 것은 이것이다. 동전 한 개를 그 안으로 던져 넣으면, 당신은 언젠가 로마에 반드시 다시 오게 된다는 것이다. 또 다른 전설에 따르면 당신이 동전 두 개를 분수 안으로 던져 넣으면, 곧 결혼하게 된다는 것이다. 그래서 많은 사람들은 매일 분수에 동전을 던진다. 실제로, 매일 약 3,500달러가 그 분수에서 수집된다!

문제 해설

1 트레비 분수의 전설에는 분수에 동전 1개를 넣으면, 로마에 다시 돌아오고, 동전 2개를 넣으면 결혼하게 된다는 것이 있다. 이 중 일치하는 선택지를 찾으면 ①이 정답이다.

2 삽입 문장이 (A)에 들어가면 That은 'Coin Throwing' legend를 가리키는 대명사로 문장 앞뒤를 자연스럽게 연결할 수 있다. 즉, 동전 던지기 전설은 '트레비 분수의 역사와 설화 중 일부분'이라는 뜻으로 이어질 수 있으므로 정답은 ①이다.

3 one은 수많은 전설(many legends) 중 하나를 지칭하므로 정답은 legend이다.

4 물을 공중으로 밀어 올리는 구조물은 분수(fountain)이다.

직독 직해

1 그것은 ~로 유명하다 / ~뿐만 아니라 / 그것의 아름다움으로 / ~ 또한 / 그것의 동전 던지기 전설로도
→ 그것은 그 아름다움뿐만 아니라 '동전 던지기' 전설로도 유명하다.

2 만약 / 당신이 / 두 개의 동전을 던지면 / 분수 안에 / 당신은 / 결혼할 것이라고 / 곧
→ 만약 당신이 동전 두 개를 분수 안으로 던져 넣으면 곧 결혼하게 된다.

3 많은 사람들은 / 동전을 던진다 / 분수 안에 / 매일
→ 많은 사람들은 매일 분수 안에 동전을 던진다.

03 | Origin
p. 029

| 1 ① | 2 ③ | 3 ④ |

본문 해석

갈증이 나는가? 지금 뭘 마시고 싶은가? 당신이 가장 좋아하는 음료는 무엇인가? 전 세계에서 가장 인기 있는 청량음료가 무엇인지 아는가? 그렇다, 바로 코카콜라이다. 그런데 누가 발명했는지 아는가? 코카콜라는 1886년 조지아 주의 애틀랜타에서 존 펨버튼에 의해 처음 발명되었다. 그는 알코올이 첨가되지 않은 에너지음료를 만들고 싶었다. 당시 사람들은 탄산수가 건강에 좋다고 생각했다. 그래서 그는 탄산수를 시럽 혼합물에 넣었다. 시럽 혼합물은 코카나무와 콜라 열매로 만들었다. 그는 사람들에게 이것이 병을 치료할 거라고 말했다. 하지만 아직 누구도 그것을 증명하진 못했다. 맨 처음 콜라 한 잔은 1886년 5월 8일 애틀랜타의 한 약국에서 5센트에 팔렸다. 오늘날 콜라는 정말로 인기 있고 전 세계적으로 꾸준히 가장 잘 팔리는 음료수이다. 그렇지만, 주의해라! 너무 많이 마시면 충치가 생기거나 살이 찔 수 있다.

문제 해설

1 이 글은 코카콜라를 처음 어디서 누가 어떻게 개발했고, 시판된 장소, 가격 등에 대해 설명하고 있다. 따라서 정답은 ①이다.

2 코카콜라는 병을 치료하는 효과가 있다고 홍보되었으나, 이것이 증명되지는 않았다고 하므로 정답은 ③이다.

3 탄산수(carbonated water)가 건강에 좋다고 여겨졌다기 때문에 그것(it)을 시럽에 섞었다고 했으므로 '그것(it)'이 가리키는 것은 탄산수(carbonated water)이다. 따라서 정답은 ④이다.
① 코카나무 ② 콜라 열매 ③ 코카콜라 ⑤ 시럽 혼합물

직독 직해

1 당신은 알고 있는가 / 어떤 청량음료가 / 가장 인기 있는지 / 전 세계에서
→ 전 세계에서 가장 인기 있는 청량음료가 무엇인지 아는가?

2 그는 / 원했다 / 만들기를 / 에너지 음료를 / 알코올이 첨가되지 않은 / 그 안에
→ 그는 알코올이 첨가되지 않은 에너지 음료를 만들기를 원했다.

3 사람들은 / 그 당시 / ~라고 믿었다 / 탄산수가 / ~에 좋다고 / 자신들의 건강
→ 그 당시 사람들은 탄산수가 자신들의 건강에 좋다고 생각했다.

Words Review
p. 030

| 1 symbol | 2 collect | 3 popular |
| 4 continue | 5 cure | |

1 상징
2 모으다
3 인기 있는
4 계속하다
5 치료하다

UNIT 03

독해탄탄 VOCA Check 1
p. 032

01 입 / 딸 / 손 / 더러운 / 가득한
걷다 / 실패하다 / 미소 / 물어보다 / 시험

02 전쟁 / 나무로 된 / 말 / 선물 / 군인, 병사
문 / 도시 / 파괴하다 / 도움이 되는 / 자료

03 (벌레가) 쏘다 / 벌 / 가려운 / 화끈거리다 / 점
바늘 / 피부 / 비누 / 통증 / 알레르기성의

독해탄탄 VOCA Check 2
p. 033

| 1 daughter | 2 gift | 3 soldier |
| 4 bee | 5 itchy | |

1 딸: 나는 나의 네 살짜리 딸과 함께 걷고 있었다.
2 선물: 트로이인들은 그 선물을 받았다.
3 군인: 그리스 군인들이 나와서 문을 열었다.
4 벌: 나는 벌에 쏘였다!
5 가려운: 당신은 가려움을 느낄 수도 있다.

01 | Funny Stories
p. 035

1 ④　　　2 ④
3 If you don't know the answer　　　4 ⑤

본문 해석

어느 날 나는 네 살짜리 딸과 산책을 하고 있었다. 아이는 무언가를 집어서 입에 넣었다. 나는 아이의 손을 잡고 "그렇게 하지 마라."라고 말했다. 아이는 왜 안 되는지 물었다. 나는 그것이 더럽고 무시무시한 세균으로 가득 차 있다고 말했다. 아이는 환한 미소를 지으며 나를 보고 말했다. "와, 엄마! 엄마는 어떻게 그런 걸 다 알아요?" 나는 "모든 엄마는 그런 것들을 다 안단다. 음, '엄마 시험'이라고 하지. 답을 모르면 엄마가 될 수 없단다."라고 말했다. "아, 알겠어요! 그러니까 시험에 떨어지면 아빠가 되어야 하는 거네요!"라고 아이는 말했다.

문제 해설

1 빈칸 뒷부분에서 딸이 엄마에게 why not이라며 반문한다. 이에 엄마는 그것은 더럽고 병균이 많기 때문이라고 대답한다. 따라서 문맥상 빈칸에 들어갈 적절한 말은 ④ Don't do that!(하지 마)이다.
① 좀 먹어 봐! ② 떨어뜨리지 마! ③ 늦지 마! ⑤ 밝게 웃어!

2 엄마가 딸이 궁금한 점에 대해 막힘 없이 대답하자 '어떻게 그걸 다 알아요?'라고 묻는다. 이 질문은 엄마의 지식에 대해 감탄하는 것이므로 정답은 ④이다.

3 If(만일 ~이라면)는 접속사로서 조건을 나타낸다. 접속사는 절(주어+동사) 앞에 위치한다. 따라서 알맞게 배열하면 If you don't know the answer가 된다.

4 딸이 엄마가 모든 것을 다 아는 것을 신기해하자 엄마가 모든 엄마는 그런 것들을 다 알며, 그것을 엄마 시험이라고 한다고 말한다. 그러자 딸은 '시험에 떨어지면 아빠가 되어야 하는 거네요'라며 엉뚱하게 답변한다. 이 글의 분위기로 가장 적절한 것은 ⑤ humorous (재미있는)이다.
① 슬픈 ② 걱정하는 ③ 신나는 ④ 행복한

직독 직해

1 그녀는 / 무엇을 집어 들었다 / 그리고 / 그것을 넣었다 / 그녀의 입 속에
→ 그녀는 무언가를 집어서 입에 넣었다.

2 나는 그녀에게 말했다 / ~라는 것을 / 그것은 / ~로 가득 찼다 / 무시무시한 세균
→ 나는 그것이 무시무시한 세균으로 가득 차 있다고 그녀에게 말했다.

3 만약 / 당신이 떨어지면 / 그 시험에서 / 당신은 / 되어야 한다 / 아빠가
→ 그 시험에 떨어지면 아빠가 되어야 하는 거네요.

02 | Myth
p. 037

1 ②　　　2 ⑤　　　3 ④

본문 해석

트로이 목마에 대해 들어본 적이 있는가? 그것은 그리스와 트로이 사이의 트로이 전쟁에서 비롯되었다. 전쟁 기간에 그리스 군대는 선물로 트로이 사람들에게 커다란 목마를 바쳤다. 트로이 사람들은 선물을 받았지만 목마 안에 숨어 있던 그리스 군인들이 있다는 것을 알아차리지 못했다! 그날 밤 트로이 군대가 잠이 들었을 때, 그리스 군대는 밖으로 나와서 그리스 군대를 위해 도시의 문을 열었다. 얼마 후, 트로이 군대는 파괴되었고 그리스는 전쟁에서 승리했다. 오늘날 그것은 또한 컴퓨터 프로그램의 이름으로 유명하다. 그것은 겉으로는 도움이 되는 것처럼 보이지만 실제로는 자료를 파괴한다.

문제 해설

1 트로이 목마는 그리스군이 트로이군을 속이기 위해 만든 거대한 목마로, 그 안에 그리스군을 숨겨놓고 목마를 선물인 것처럼 속여서 트로이 성을 함락시킨다. 따라서 트로이 목마는 그리스군이 만든 것이므로 정답은 ②이다.

2 gift는 ⑤ present(선물)와 의미가 같다.
① 기술 ② 재능 ③ 칼 ④ 마술

3 트로이 목마 안에 '숨어 있던' 그리스 군이 트로이 성으로 잠입해서 그리스군을 위해 성문을 열어 전쟁을 승리로 이끌었다는 내용으로부터 정답은 ④이다.
① 자고 있던 ② 싸우고 있던 ③ 이기고 있던 ⑤ 지고 있던

직독 직해

1 그것은 / 비롯되었다 / 트로이 전쟁으로부터 / 사이의 / 그리스와 트로이
→ 그것은 그리스와 트로이 사이의 트로이 전쟁에서 비롯되었다.

2 전쟁 기간에 / 그리스 군대는 / 주었다 / 큰 목마를 / 트로이 사람들에게 / 선물로
→ 전쟁 기간에 그리스 군대는 선물로 트로이 사람들에게 큰 목마를 주었다.

3 그것은 / ～처럼 보인다 / 도움이 되는 / 하지만 / 실제로 / 자료를 파괴한다
→ 그것은 도움이 되는 것처럼 보이지만 실제로 자료를 파괴한다.

---

03 | Health p. 039

1 ③	2 ④	3 ④

본문 해석

"아, 이런, 벌에 쏘였어!" 벌에 쏘였을 때, 정말 아프다. 처음에는 가렵고 그다음에 화끈거리기 시작한다. 대개는 붉은 점이 그 부분에 나타나고 주위의 피부가 하얘진다. 만약 벌에 쏘이면 선생님이나 부모님에게 당장 얘기를 해야 한다. 그분들이 가능한 한 빠르게 여러분의 몸에서 침을 빼야 할 것이다. 그리고 피부를 비누와 물로 씻어라. 여전히 아프거나 화끈거리면 그 위에 얼음을 올려라. 마지막으로, 통증이 정말 심하면 아스피린이나 진통제를 먹을 수도 있다. 그것이 통증을 없애도록 돕는다. 어떤 사람들은 벌침에 알레르기가 있다. 여러분이 그것에 알레르기가 있다면 즉시 진찰을 받아야 한다!

문제 해설

1 벌에 쏘이면 해야 할 행동으로 얼음찜질이 있다. 그런데 ③ 더운 물로 찜질 하는 것은 지문 내용과 정반대이므로 정답은 ③이다.

2 빈칸 (A) 뒤에는 벌에 쏘였을 때 나타나는 초기 증상에 대한 내용이다. 따라서 순서를 나타내는 At first(처음에는)가 적절하다. (B) 뒤에는 벌에 쏘여 취하는 조치 중 마지막을 소개하고 있으므로 문맥상 적절한 말은 Finally(마지막으로)이다.

	(A)	(B)
①	그리고	그러나
②	이제	그때
③	한 번	나중에
⑤	다시	결국

3 immediately는 ④ right away(곧바로)와 의미가 같다.
① 천천히 ② 주의 깊게 ③ 단 한 번만 ⑤ 대부분

직독 직해

1 ～할 때 / 당신이 쏘이다 / 벌에 의해 / 그것은 정말로 아프다
→ 벌에 쏘였을 때, 정말 아프다.

2 만약 / 그것이 여전히 아프다면 / 또는 화끈거리다면 / 당신은 / 얼음을 놓을 수 있다 / 그것 위에
→ 여전히 아프거나 화끈거리면 그 위에 얼음을 올릴 수 있다.

3 그것은 / 돕는다 / 만들도록 / 통증이 / 사라지게
→ 그것이 통증을 없애도록 돕는다.

Words Review p. 040

1 accept	2 hide	3 pick
4 sting	5 itchy	

1 받아들이다
2 숨다
3 집다
4 쏘다
5 가려운

UNIT 04

독해탄탄 VOCA Check 1 p. 042

01 죽은 / ～을 잡다 / 신 / 살아있는 / 독성의 영웅 / 뱀 / 생각 / 놀라게 하다 / 돌아오다

02 의사 / 부끄럽게 하는 / 알약 / 들어가다 / 방귀(끼다) 냄새 / (약을) 복용하다 / 치료된 / 처방전 / 소리 없는

03 환경 / 생명체 / 사냥하다 / 실험실 / (동물의) 털실험 / 보살핌 / 옷 / 즐거움 / 보호하다

독해탄탄 VOCA Check 2 p. 043

1 god	2 dead	3 embarrassing
4 creature	5 laboratory	

1 신: 그의 아버지는 신이었다.

2 죽은: 그는 죽은 두 마리의 뱀을 들고 있었다.

3 부끄러운: 그것은 너무 부끄럽다.

4 생명체: 동물들은 우리처럼 살아있는 생명체이다.

5 실험실: 많은 동물이 실험실 실험에서 죽임을 당한다.

01 | Myth

1 ①　　　2 ④　　　3 ⑤　　　4 ④

본문 해석

그리스 신화에서 가장 위대한 영웅은 누구였을까? 정답을 아는가? 그리스 신화에서 가장 위대한 영웅은 헤라클레스였다. 헤라클레스는 가장 위대한 신인 제우스의 아들이었다. 그의 아버지는 신이지만, 그의 어머니는 그냥 보통 사람이었다. 불행하게도, 그의 의붓어머니인 헤라는 그를 좋아하지 않았다. 제우스가 다른 많은 부인들과 자식들을 갖고 있었기 때문에 그녀는 스트레스를 많이 받았고 그 반신반인이 죽기를 원했다. 어느 날, 그녀는 헤라클레스를 죽이려고 두 마리의 독사를 그의 침대로 던져 넣었다. 그렇지만, 그녀의 계획은 실패로 돌아갔다. 그의 침대로 다시 간 그녀는, 너무나 놀랐다. "이런! 왜 그가 아직도 움직이고 있지?" 헤라클레스는 아직 살아있었다. 그리고 양손에 한 마리씩 죽은 뱀을 쥐고 있었다.

문제 해설

1 헤라클레스의 아버지는 신 제우스이지만, 어머니는 평범한 인간이다. 따라서 정답은 ①이다.

2 헤라는 헤라클레스를 죽이려고 침대에 독사를 넣었지만, 독사가 오히려 헤라클레스 손에 죽은 것을 보고 놀랐을 것이다. 따라서 정답은 ④이다.
① 자랑스러운 ② 만족한 ③ 행복한 ⑤ 걱정하는

3 이 지문은 헤라가 헤라클레스를 죽이는 계획이 실패로 돌아간 과정이 과거 시제로 제시되어있다. ⓔ returns는 현재시제이므로 과거시제가 되어야 맞다. 따라서 정답은 ⑤이다.

4 헤라는 헤라클레스의 침대 안에 두 마리 살아있는 독사를 넣었지만, 돌아와 보니 헤라클레스의 손에 독사가 죽어있는 채 들려있었다. 이로 미루어보아, 헤라클레스는 두 마리의 독사를 맨손으로 죽일 만큼 강했다는 것을 알 수 있다. 따라서 정답은 ④이다.

직독 직해

1 누가 / ~이었다 / 가장 위대한 영웅 / 그리스 신화에서
→ 그리스 신화에서 가장 위대한 영웅은 누구였을까?

2 어느 날 / 그녀는 / 던졌다 / 두 마리의 독사를 / 헤라클레스의 침대 안으로 / 그를 죽이기 위해서
→ 어느 날, 그녀는 헤라클레스를 죽이려고 두 마리의 독사를 그의 침대로 던져 넣었다.

3 그는 / 붙잡고 있었다 / 그 두 마리의 죽은 뱀을 / 한 손에 하나씩
→ 그는 두 마리의 죽은 뱀을 한 손에 하나씩 붙잡고 있었다.

02 | Funny Stories

1 ③　　　2 ②　　　3 ④

본문 해석

어느 날, 한 나이 드신 부인이 병원에 찾아갔다. 그녀는 의사에게 자신의 문제를 얘기했다. "어떻게 해야 할지 모르겠어요. 시도 때도 없이 방귀를 뀌는데 말이죠, 소리도 안 나고 냄새도 없으니 말이에요. 어찌나 당황스러운지. 무슨 문제가 있는 것 같단 말이에요. 어떻게 해야 할지 좀 알려주세요." "알겠습니다. 여기 처방전 받으세요, 베넷 부인. 일주일 동안 하루에 세 번씩 이 약을 드세요. 그리고 일주일 후에 다시 오십시오." 일주일 후, 베넷 부인이 의사의 진료실로 들어갔다. "해리스 선생님, 이 알약이 무슨 약인지 말씀해 주세요. 이 알약을 먹은 후로는 문제가 더 심해졌다고요! 전처럼 여전히 방귀를 많이 뀌는데, 지금은 냄새가 지독하다고요! 이유가 뭐죠?" "진정하십시오, 베넷 부인." 의사가 조용히 말했다. "부인의 코는 치료가 되었습니다. 이제 청력을 치료해야겠어요!"

문제 해설

1 베넷 부인은 처음 본인의 방귀는 냄새가 없다고 생각했지만, 의사의 치료를 받고 방귀 냄새를 맡게 되었다. 의사가 항의하는 베넷 부인에게 코가 치료된 것이라고 설명하는 것으로 보아, 베넷 부인은 약을 먹고 냄새를 맡을 수 있게 되었음을 알 수 있다. 따라서 정답은 ③이다.

2 베넷 부인은 처음 자신의 생각과 달리 자신의 방귀 냄새가 심하다는 것을 깨닫게 되었을 것이다. 이로부터 베넷 부인은 부끄러운 심경을 느꼈을 것이므로 정답은 ② embarrassed(부끄러운)이다.
① 화가 난 ③ 궁금한 ④ 슬픈 ⑤ 두려운

3 의사는 베넷 부인에게 약을 처방해 줬다. 베넷 부인에게 변화가 생긴 것은 약을 먹은 후일 것이므로 정답은 ④이다.
① 방귀를 멈춘 후로는
② 2주를 기다린 후로는
③ 의사 말을 들은 후로는
④ 알약을 먹은 후로는
⑤ 물을 마신 후로는

직독 직해

1 ~라고 생각한다 / 나에게 있다 / 어떤 문제가
→ 저는 저에게 어떤 문제가 있다고 생각해요.

2 저에게 말해 주세요 / 제가 무엇을 해야 하는지
→ 제가 무엇을 해야 하는지 저에게 말해 주세요.

3 이 알약을 복용하세요 / 세 번 / 하루에 / 7일 동안
→ 7일 동안 하루에 세 번 이 알약을 복용하세요.

03 | Animals
p. 049

1 ⑤　　　　2 ②

3 to protect the animal kingdom　　4 ②

본문 해석

동물들도 인간과 똑같은 권리를 가지고 있는가? 많은 사람은 인간이 필요에 따라서 얼마든지 동물을 이용할 수 있다고 생각한다.

(C)
무엇보다도 많은 사람들이 재미 삼아 동물을 사냥한다. 사냥이 정말로 필요한 것인가? 사람들은 또한 동물을 의학적, 혹은 과학적인 실험에 이용하기도 한다. 매년 전 세계에서 일억 천오백만 마리의 동물이 실험실의 실험에서 목숨을 잃는다.

(B)
더구나, 어떤 동물들은 옷이나 액세서리, 집안 용품과 같은 물건을 만드는 데 사용된다. 우리는 다른 재료로 옷을 만들 수 있기 때문에 동물의 털이나 가죽을 이용하는 것은 불필요한 것이다. 동물도 우리와 같은 생명을 가진 피조물이고 환경에 중요한 역할을 한다.

(A)
그렇기 때문에, 우리는 동물들을 존중과 보살핌으로 대할 필요가 있고, 동물의 왕국을 보호하기 위해서 더 많은 조치를 취해야 한다.

문제 해설

1 (C)의 First of all은 여러 가지 근거 중 첫 번째 근거 앞에서 쓰인다. (B)의 Furthermore는 앞선 근거에 비해 좀 더 강한 근거를 댈 때 쓴다. 따라서 (B)는 (C) 다음에 나오는 것이 적절하다. (A) Therefore는 모든 근거를 종합하여 결론을 내릴 때 쓰인다. (C), (B)에서 동물이 불필요하게 학대당하는 여러 가지 근거를 소개한 뒤, (A)에서 동물보호를 위해 더 많은 보호조치들이 취해져야 한다는 결론이 나오는 순서가 자연스러우므로 정답은 ⑤이다.

2 (B)에서 동물이 옷, 액세서리, 집안 용품으로 쓰이는 경우를 언급하고, (C)에서 동물이 오락을 목적으로 사냥을 당하거나, 의학적, 과학적 실험에 이용당하는 경우가 소개되고 있다. 애완용의 예는 제시되지 않았으므로 정답은 ②이다.

3 밑줄 친 ⓐ는 목적(~하기 위하여)를 나타낸다. 목적은 to부정사(to+동사원형)를 이용해서 나타낼 수 있다. to부정사는 뒤에 목적어가 나올 수 있으므로 올바른 어순은 to protect the animal kingdom이다.

4 ⓑ pleasure는 ② enjoyment(즐거움)과 의미가 같다.
　① 연구 ③ 음식 ④ 운동 ⑤ 취급

직독 직해

1 많은 사람들은 / ~라고 생각한다 / 그들은 / 이용할 수 있다 / 동물을 / 가능한 많이 / 그들의 필요를 위해
　→ 많은 사람들은 자신의 필요에 따라서 얼마든지 동물을 이용할 수 있다고 생각한다.

2 어떤 동물은 / 이용된다 / 옷을 만드는 데 / 또는 다른 제품에
　→ 어떤 동물은 옷이나 다른 제품을 만드는 데 이용된다.

3 동물은 / 생명을 가진 피조물이다 / 우리와 같은 / 그리고 / 그들은 / 중요한 역할을 한다 / 환경에
　→ 동물은 우리와 같은 생명을 가진 피조물이고 환경에 중요한 역할을 한다.

Words Review
p. 050

1 problem　　2 regular　　3 reason

4 possible　　5 environment

1 문제

2 평범한

3 이유

4 가능한

5 환경

UNIT 05

독해탄탄 VOCA Check 1
p. 052

01 조언, 비법 / 잠, 수면 / 스트레스 / 찡그리다 / 아끼다
　줄이다 / 걱정하다 / 이유 / 자선 / 탐욕

02 학생 / 미루다 / 습관 / 약속 / 끝내다
　일어나다 / 불가능한 / 집중하다 / 일, 일하다 / 도서관

03 언어 / 움직임 / 몸짓 / 얼굴 표정 / 어려움
　같은, 동일한 / 나라 / (손을) 흔들다 / 손바닥 / 외국의

독해탄탄 VOCA Check 2
p. 053

1 stress　　2 frown　　3 promise

4 library　　5 language

1 스트레스: 잠을 더 자고 스트레스를 줄여라.

2 찡그리다: 더 많이 웃고, 덜 찡그려라.

3 약속: 당신 자신에게 약속해라.

4 도서관: 그들은 도서관에 간다.

5 언어: 외국에서 몸짓 언어를 쓸 때 주의해라.

| 1 ⑤ | 2 ④ | 3 what you want |

| 1 ④ | 2 ⑤ | 3 ③ |

본문 해석

더욱 건강해질 수 있는 몇 가지 조언이 여기 있다!

1 잠을 더 자고 스트레스를 줄여라. 좀 더 자고 스트레스를 줄이자!

2 미소를 더 많이 짓고, 덜 찡그려라. 미소 짓는 것보다 찡그리는 것이 더 많은 에너지를 필요로 한다는 것을 아는가? 사실이다, 그러니까 에너지를 아끼고 그 에너지를 당신이 원하는 것을 하는 데 쓰도록 하라.

3 실천을 더 많이 하고 생각은 덜 해라, 다시 말해서, 스트레스를 받거나 걱정하지 말고, 그냥 실천해라!

4 나쁜 말보다는 좋은 말을 해라. 남들에게도 웃어야 할 이유를 줘라!

5 여러분 자신을 생각하기 전에 남들을 생각해라. 많이 베풀고 욕심을 줄여라. 진정한 행복은 돈으로 살 수 없다!

문제 해설

1 매일매일 시간을 정해 놓고 운동을 하라는 내용은 이 글에서 언급되지 않았으므로 정답은 ⑤이다.

2 빈칸 뒤에 오는 말은 '실천을 더 많이 하고 생각은 덜 해라'를 추가 설명한 것으로 빈칸에 들어갈 적절한 연결어는 ④ In other words (다시 말해서)이다.
① 왜냐하면 ② 그럼에도 불구하고 ③ 만약 ⑤ ~전에

3 what you want: 당신이 원하는 것(what = the thing which)

직독 직해

1 여기에 있다 / 몇 가지 조언이 / 더 건강해질 수 있는
→ 더욱 건강해질 수 있는 몇 가지 조언이 여기 있다!

2 줘라 / 다른 사람에게 / 이유를 / 웃어야 할
→ 다른 사람에게 웃어야 할 이유를 줘라.

3 돈은 / 살 수 없다 / 진정한 행복을
→ 돈은 진정한 행복을 살 수 없다.

본문 해석

많은 학생들에게 있어 가장 큰 문제 중의 하나는 너무 자주 미룬다는 것이다. 그들은 마지막 순간까지 해야 할 일을 하지 않는다. 그것은 아주 흔한 문제다. 그러면 어떻게 이 나쁜 습관을 바꿀 수 있을까? 여기 몇 가지 비결이 있다. 어떤 일이 가장 중요한지를 결정하고 그것을 먼저 해라. 자기 자신에게 어떤 일을 특정 시간까지 마치겠다고 약속해라. 할 게 많다면 더 작은 몇 개로 쪼개라. 그러면 그리 불가능해 보이지 않을 것이다! 일에 집중할 수 있는 장소를 찾아라. 예를 들어, 어떤 학생들은 집에서 일을 잘할 수 없어서 해야 할 일이 많을 때는 도서관에 간다. 그리고 무엇보다도 여러분에게 잘 맞는 방법을 발견하면 그것을 고수해라!

문제 해설

1 이 글은 학생들의 흔한 문제 중 하나로 미루는 습관을 언급하며, 미루지 않고 제 시간에 일을 끝낼 수 있는 방법을 소개하고 있다. 따라서 정답은 ④이다.

2 미루지 않는 방법으로, 가장 중요한 일 먼저 처리하기, 특정 시간까지 일을 끝내겠다고 다짐하기, 할 일이 많으면 작은 단위로 쪼개기, 효과적으로 일에 집중할 수 있는 장소에서 일하기 등이 소개되었다. ⑤는 작은 단위로 쪼개서 일을 처리하라는 조언과 반대되는 내용이므로 글의 내용과 일치하지 않는다.

3 집에서 일에 집중할 수 없으면 도서관에서 하라는 것은 일에 집중할 수 있는 곳에서 일하는 예를 제시한 것이므로 빈칸에 적절한 말은 ③ for example(예를 들어)이다.
① 다시 ② 또한 ④ 그러고 나서 ⑤ 전반적으로

직독 직해

1 하나는 / 가장 큰 문제 중 / 많은 학생들의 / ~이다 / ~라는 것 / 그들이 미룬다 / 너무 자주
→ 많은 학생들에게 있어 가장 큰 문제 중의 하나는 너무 자주 미룬다는 것이다.

2 약속해라 / 당신 자신에게 / 끝내겠다고 / 어떤 일을 / 특정 시간까지
→ 자기 자신에게 어떤 일을 특정 시간까지 마치겠다고 약속해라.

3 만일 / 당신이 가지고 있다면 / 큰일을 / 해야 할 / 그것을 나눠라 / 몇 개의 더 작은 일로
→ 만일 해야 할 큰일이 있다면, 그것을 몇 개의 더 작은 일로 나눠라.

1 ① **2** ⑤ **3** communication, expresses, signs, Shaking, wave

본문 해석

(C)
말을 하지 않고 어떤 것을 표현하고자 할 때 보디랭귀지를 사용할지도 모른다. 보디랭귀지는 움직임, 몸짓, 얼굴 표정을 통한 말을 사용하지 않는 의사소통이다. 이것은 의사소통에서 어려움을 겪을 때 꽤 유용하고 도움이 된다.

(B)
어떤 나라에서는 특정 몸짓의 의미가 같거나 비슷하다. 하지만, 가끔은 똑같은 보디랭귀지가 다른 국가에서는 전혀 다른 의미를 나타내기도 한다. 예를 들어, 불가리아에서 "그렇다"라고 말하기 위해 고개를 양 옆으로 흔든다. 한국과 대부분의 서구 국가에서는 그 몸짓이 "아니다"를 의미한다.

(A)
또 다른 예로는 "이리 와"라는 의미의 한국에서 쓰이는 손동작이다. 한국에서는 이 의미를 나타내기 위해서 손바닥을 아래쪽을 향하게 해서 손을 흔든다. 하지만 이 동작은 미국에서 "저리 가"라는 의미가 될 수 있다. 그러므로 외국에서 보디랭귀지를 사용할 때는 조심해야 한다.

문제 해설

1 (B)에서 고개를 양 옆으로 젓는 행동은 불가리아에서는 '그렇다'의 의미로, 한국이나 미국에서는 '아니다'라는 의미로 쓰이는 보디랭귀지의 예로 제시되었다.

2 (C)는 보디랭귀지가 무엇인지를 소개하는 단락이며, (A), (B)는 보디랭귀지의 예를 들며 같은 행동이 나라마다 다른 의미로 쓰이는 경우를 소개하고 있다. (A)에서 첫 문장이 "Another example is …"로 시작되는 것으로 보아, (B)가 (A) 먼저 나오는 것이 자연스러운 순서를 이룬다.

3 보디랭귀지는 의사소통(communication)의 유용한 수단이다. 그것은 여러분이 원하는 것을 효과적으로 표현한다(expresses). 하지만 어떤 나라에서는 어떤 신호(signs)의 의미는 같거나 다르게 여겨진다. 고개를 양 옆으로 젓는 (Shaking) 것은 불가리아와 같은 어떤 나라에서는 "그렇다"라는 의미를 나타내는 반면 한국과 같은 다른 나라에서는 "아니다"를 의미한다. 여러분이 손바닥을 아래로 향한 채 손을 흔들면(wave), 한국에서는 "이리 와"를 뜻하지만, 미국에서는 "가 버려"를 뜻한다.

직독 직해

1 한국에서 / 사람들은 / 손을 흔든다 / 손바닥을 아래로 향한 채 / 이것을 하려고
→ 한국에서는 이것을 하려고 손바닥을 아래로 향한 채 손을 흔든다.

2 조심해라 / ~할 때 / 당신이 사용할 때 / 보디랭귀지를 / 외국에서
→ 외국에서 보디랭귀지를 사용할 때는 조심해라.

3 ~할 때 / 당신이 원한다 / 어떤 것을 표현하길 / 말하는 것 없이 / 당신은 사용할지도 모른다 / 보디랭귀지를
→ 말을 하지 않고 어떤 것을 표현하고자 할 때 보디랭귀지를 사용할지도 모른다.

Words Review p. 060

1 save **2** greed
3 postpone **4** habit
5 communication

1 아끼다
2 탐욕
3 미루다
4 습관
5 의사소통

UNIT 06

독해탄탄 VOCA Check 1 p. 062

01 오른쪽의 / 왼쪽의 / 이용하다 / 쓰기 / 알다
가르치다 / 사람들 / 북극곰 / ~ 대신에 / 살다

02 사전 / 호수 / 신선한 / 소금 / 둘러싸다
연결하다 / 바다 / 표면 / 덮다 / 부피, 크기

03 그림 그리다 / 벽 / 천장 / 졸업반의 / 자랑스러운
전구 / 중력 / 낭비하다 / (전기 등을) 끄다 / 떨어지다

독해탄탄 VOCA Check 2 p. 063

1 polar bear **2** surround
3 connect **4** proud **5** Turn off

1 북극곰: 모든 북극곰은 왼손잡이이다.
2 둘러싸다: 호수는 육지로 둘러싸인 거대한 수역이다.
3 연결하다: 카스피해는 바다와 연결되어 있었다.
4 자랑스러운: 나는 네가 자랑스럽다.
5 끄다: 불 좀 꺼주세요!

1 ②	2 ④	3 ⓐ right, ⓑ left

본문 해석

당신은 오른손잡이인가, 왼손잡이인가? 먹거나 글씨를 쓸 때 오른손을 사용한다면 당신은 오른손잡이이다. 반대로, 기본적으로 왼손을 쓴다면 당신은 왼손잡이이다. 우리 모두가 알다시피, 대부분 사람들은 오른손잡이이다. 그리고 한국에서 우리는 먹거나 글씨를 쓸 때 왼손보다는 오른손을 쓰라고 배운다. 오른손잡이인 사람들이 왼손잡이인 사람들보다 평균적으로 9년 정도 더 오래 산다는 것을 알고 있는가? 왼손잡이인 사람들 얘기가 나와서 말인데요, 모든 북극곰들은 왼손잡이이다. 그리고, 만약에 북극곰이 왼손이 아니라 <u>오른손</u>을 사용한다면 더 오래 살 수 있을 것이다!

문제 해설

1 이 글의 마지막 부분에서 북극곰은 전부 왼손잡이라고 했으므로 정답은 ②이다.
2 빈칸 앞뒤에 오른손잡이, 왼손잡이가 각각 정의되어 있다. 이 두 가지는 서로 대조적인 내용이므로 빈칸에 들어갈 적절한 말은 ④이다.
   ① 사실 ② 예를 들어 ③ 마침내 ⑤ 그러므로
3 앞에 오른손잡이가 왼손잡이에 비해 오래 살며, 북극곰이 왼손잡이라는 사실을 연결해서 생각해 보면, 만일 북극곰이 왼손 대신(instead of) 오른손을 썼다면 더 오래 살 수 있을지도 모른다는 내용이 적절하다. 따라서 ⓐ에는 right가, ⓑ에는 left가 적절하다.

직독 직해

1 당신은 ~인가 / 오른손잡이 / 또는 왼손잡이
  → 당신은 오른손잡이인가, 왼손잡이인가?
2 만약 / 당신이 / 사용한다 / 당신의 오른손을 / 먹기 위해 / 또는 쓰기 위해 / 당신은 ~이다 / 오른손잡이
  → 먹거나 글씨를 쓸 때 오른손을 사용한다면 당신은 오른손잡이이다.
3 대부분 사람들은 / 오른손잡이이다 / ~듯이 / 우리 모두 / 안다
  → 우리 모두가 알다시피, 대부분 사람들은 오른손잡이이다.

1 ③	2 ②	3 ④

본문 해석

'호수'의 사전적 정의는 육지로 둘러싸인 넓은 수역이다. 하지만, 세계에서 가장 큰 호수를 정의하는 데는 몇 가지 다른 방법이 있다. 우리가 호수를 고여 있는 물의 덩어리라고 정의한다고 할 때 전체 면적에서 보면, 가장 큰 호수는 아시아의 카스피해로 370,886 평방 킬로미터이다. 카스피해는 바다와 연결되어 있었기 때문에 아직도 염수이다. 만약 우리가 호수를 표면을 덮고 있는 담수라고 정의한다면 세계에서 가장 큰 호수는 캐나다와 미국 사이에 위치한 북미에 있는 슈피리어 호수이다. 슈피리어 호수는 82,100 평방 킬로미터가 넘으며 한국보다 약간 작은 크기이다. 부피에 대해서 보자면 시베리아에 있는 바이칼 호수가 가장 크다. 바이칼 호수는 23,000 입방 킬로미터만큼의 물이 있는데 이것은 전 세계의 담수의 20%에 해당한다. 또한, 깊이가 1,637미터로 가장 깊은 호수이기도 하다.

문제 해설

1 이 글의 후반부에서 부피(volume) 면에서 가장 큰 호수는 바이칼 호수(Lake Baikal)라고 말하고 있으므로 정답은 ③이다.
2 이 글의 중간 부분에서 표면을 덮은 담수를 호수라고 정의했을 때, 가장 큰 호수는 슈피리어호라고 말하고 있으므로 정답은 ②이다.
3 connected는 ④ linked(연결된)와 의미가 같다.
  ① 정의된 ② 덮인 ③ 닫힌 ⑤ 만들어진

직독 직해

1 사전적 정의는 / '호수'라는 단어의 / 큰 지역이다 / 물로 이루어진 / 육지로 둘러싸인
  → '호수'의 사전적 정의는 육지로 둘러싸인 넓은 수역이다.
2 그러나 / ~들이 있다 / 몇 가지 다른 방법들 / 정의하는 / 세계의 가장 큰 호수를
  → 그러나 세계에서 가장 큰 호수를 정의하는 데는 몇 가지 다른 방법이 있다.
3 가장 큰 호수는 / 카스피해이다 / 아시아에서 / 370,886 평방킬로미터의
  → 가장 큰 호수는 370,886 평방 킬로미터의 아시아의 카스피해이다.

1 ③	2 ①	3 ⑤

본문해석

미켈란젤로의 엄마: "다른 아이들처럼 그냥 벽에 그림을 그릴 수 없겠니? 천장에서 그것을 떼는 게 얼마나 어려운지 아니?"

에이브러햄 링컨의 엄마: "넌 또 그 똑같은 스토브 파이프 모자(검고 기다란 모자)를 쓰고 있니? 네 또래의 다른 모든 남자애들처럼 그냥 야구 모자를 쓸 수 없니?

아인슈타인의 엄마: "그건 아냐, 앨버트, 너의 졸업 앨범 사진이잖니! 네 머리 좀 어떻게 할 수 없니? (헤어)젤이나 무스나 뭐라도 좀 사용해 봐!

토머스 에디슨의 엄마: "물론 난 네가 자랑스럽단다, 토마스야, 네가 전구를 발명했잖아! 그렇지만, 지금은 많이 늦었으니 불을 끄고 잠을 자렴!"

뉴턴의 엄마: "떨어지는 사과가 너에게 만유인력의 법칙에 대한 아이디어를 떠올리게 도움을 주었다는 것을 알고 있지만, 사과 나무 아래서 시간 낭비 좀 그만 하렴."

문제 해설

1. 이 글은 각 위인들의 특징적인 면에 대해 엄마들이 했을 재미있는 잔소리를 상상해서 꾸민 글이다. 위인들의 엄마도 다른 평범한 사람들의 엄마들처럼 잔소리를 했을 것이라는 내용이 암시되어 있다. 따라서 글의 제목으로 적절한 것은 ③이다.
   ① 유명해지는 최고의 방법
   ② 위대한 어머니가 낳은 위대한 발명가
   ③ 모든 엄마는 똑같아
   ④ 사람들을 창의적으로 만드는 것
   ⑤ 훌륭한 엄마가 되는 법
2. 에디슨의 엄마가 불을 끄고 자라고 했다고 해서 에디슨이 평소에 불을 키고 잤다고 생각할 수 없다. 따라서 정답은 ①이다.
3. 토머스 에디슨은 전구를 발명했다. 따라서 빈칸에 들어갈 적절한 동사는 ⑤ invented(발명하다)이다.
   ① 잃어버리다 ② 떨어뜨리다 ③ 돌려주다 ④ 깨다

직독 직해

1. 너는 알고 있니 / 그것이 얼마나 힘든지 / 이것을 천장에서 떼는 것이
   → 너는 이것을 천장에서 떼는 것이 얼마나 힘든지 알고 있니?
2. 너는 그냥 ~할 수 없니 / 야구모자를 쓰다 / 다른 모든 남자애들처럼 / 네 나이의
   → 네 또래의 다른 모든 남자애들처럼 그냥 야구 모자를 쓸 수 없니?
3. 나는 알고 있다 / 떨어지는 사과가 / 너를 도왔다 / 생각을 떠오르게 하도록 / 만유인력의 법칙에 관한
   → 떨어지는 사과가 너에게 만유인력의 법칙에 대한 아이디어를 떠올리게 도움을 주었다는 것을 알고 있다.

1 right-handed	2 cover	3 volume
4 fall	5 waste	

1. 오른손잡이의
2. 덮다
3. 부피
4. 떨어지다
5. 낭비하다

UNIT 07

01 열기구, 풍선 / 색깔 / 어지러운 / 타다 / 하늘
   뜨다 / 날아오르다 / 산 / 초원 / 계곡

02 씻다 / 머리 / 시험, 검사 / 동의하다 / 잊다
   미신 / 미역국 / 화장지 / 두루마리 / 거짓된

03 운동하다 / 다양한 / 바쁜 / 건강한 / 체형, 형태
   전문가 / 활동하지 않음 / 안 좋은 / 목표 / ~을 향하여

1 balloon	2 dizzy	3 exam
4 work out	5 busy	

1. 열기구, 풍선: 하늘은 열기구로 가득했다.
2. 어지러운: 나는 어지러워질 때까지 하늘을 올려다 보았다.
3. 시험: 나는 이번 주에 시험이 있다.
4. 운동하다: 당신은 얼마나 자주 운동하는가?
5. 바쁜: 그들은 너무 바빠 운동할 수 없다.

1 ⑤ **2** ④ **3** Switzerland, The last week of January, $200,90

본문 해석

하늘이 매혹적인 색깔과 모양의 열기구들로 가득했다. 그것들이 내 시선을 사로잡았고, 나는 어지러워질 때까지 하늘을 올려다보았다. 난 열기구 하나를 탔고 그것은 하늘로 올라 놀라운 광경을 연출하면서 맑은 공중으로 둥둥 떠다녔다. 산 정상이 내 눈높이가 될 때까지 솟아오르자, 나는 파란 초원과 나무집들을 볼 수 있었다. 계곡 위로 90분의 비행은 잊을 수 없는 기억 중의 하나이다. 나 같은 배낭 여행객에게는 좀 비싼 200불이라는 가격이었지만 말이다. 매년 이맘때 1월의 마지막 주가 되면 나는 스위스로 여행을 가서 국제 열기구 축제에 참가하고 싶어 죽을 지경이다.

문제 해설

1 이 글은 글쓴이가 열기구 관람 경험을 추억하며 쓴 글이므로 정답은 ⑤이다.
2 글쓴이는 열기구를 타고 산 정상의 푸른 목초지와 나무 오두막과 계곡을 보았다. 폭포는 언급되지 않았으므로 정답은 ④이다.

3

> **국제 열기구 축제**
>
> 장소: 스위스
> 시기: 1월 마지막 주
> 국제 열기구 축제에 오신 것을 환영합니다. 여러분은 수백 개의 형형색색의 열기구를 하늘에서 즐길 수 있습니다. 또한 여러분은 가족과 좋은 추억을 만들 수 있습니다. 여러분이 축제에 참여하고 싶다면, balloons@jinnyfestival.com으로 메일 보내 주세요. 그리고 여러분은 1인당 200달러를 지불해야 하며, 90분 동안 비행을 즐길 수 있습니다.

직독 직해

1 그것들은 / 내 시선을 사로잡았다 / 그리고 / 나는 / 올려다보았다 / 하늘을 보기 위해 / 어지러워질 때까지
   → 그것들이 내 시선을 사로잡았고, 나는 어지러워질 때까지 하늘을 올려다보았다.
2 그것은 / 올랐다 / 하늘로 / 그리고 / 둥둥 떠다녔다 / 맑은 공중으로
   → 그것은 하늘로 올라 맑은 공중으로 둥둥 떠다녔다.
3 90분의 비행은 / 계곡 위로 / ~이다 / ~중의 하나 / 나의 잊을 수 없는 기억들
   → 계곡 위로의 90분의 비행은 나의 잊을 수 없는 기억들 중의 하나이다.

1 ① **2** ⑤ **3** ⑤

본문 해석

"너 아침에 머리 안 감았니?" "네, 안 감았어요. 이번 주에 시험이 있거든요, 엄마. 그러니까 시험이 다 끝난 후에 머리를 감을 거예요." 여러분 중 많은 사람들은 이런 생각에 동의할 것이다, 그렇지 않은가? 학생들은 시험 기간에 머리를 감지 않는다. 머리를 감으면, 공부한 모든 것을 잊어버리게 된다고 생각한다. 이것이 한국에서 시험과 관련된 미신들 중의 하나이다. 이것만이 아니다! 시험 기간 중에는 아침에 절대로 미역국을 먹지 않을 것이다. 또 다른 미신으로 사람들은 종종 시험을 치르는 사람에게 두루마리 휴지를 주기도 한다. 이것들 말고도 시험에 대한 더 많은 미신이 있다. 하지만, 기억해라! 미신은 그냥 미신일 뿐이다. 미신은 대개 잘못된 믿음이다. 중요한 것은 열심히 공부하고 최선을 다하는 것이다!

문제 해설

1 시험 기간 중 머리를 감지 않고 미역국을 먹지 않는 행동, 수험생에게 두루마리 휴지를 선물하는 것은 모두 시험에 관한 한국의 미신들이다. 따라서 글의 제목으로 가장 적절한 것은 ①이다.
   ① 시험에 관한 한국의 미신
   ② 좋은 기억력을 갖기 위한 비법
   ③ 학교 시험에 대비하는 법
   ④ 머리 청결의 중요성
   ⑤ 전 세계의 이상한 미신들
2 한국에서 시험을 앞둔 사람에게 주는 것은 두루마리 휴지라고 했으므로 정답은 ⑤이다.
3 미신은 잘못된 믿음일 뿐이며, 시험에서 무엇보다 중요한 것은 열심히 공부하고 최선을 다한다는 내용이 가장 적절하므로 정답은 ⑤이다.
   ① 머리를 감는 것
   ② 떡을 많이 먹는 것
   ③ 화장지를 사는 것
   ④ 미역국을 많이 먹는 것
   ⑤ 열심히 공부하고 최선을 다하는 것

직독 직해

1 저는 머리를 감겠어요 / ~ 후에 / 모든 시험이 / 끝나다
   → 저는 시험이 다 끝난 후에 머리를 감을 거예요.
2 학생들은 / 감지 않는다 / 그들의 머리를 / ~ 동안 / 시험 기간
   → 학생들은 시험 기간에 머리를 감지 않는다.
3 미신은 / 대개 ~이다 / 잘못된 믿음
   → 미신은 대개 잘못된 믿음이다.

1 Some people have enough time to exercise

2 ④ 3 ①

---

1 float	2 peak	3 flight
4 forget	5 healthy	

1 떠다니다

2 꼭대기

3 비행

4 잊다

5 건강한

본문 해석

얼마나 자주 운동을 하는가? 어떤 사람들은 운동할 충분한 시간이 있어서 거의 매일 운동을 한다. 다른 사람들은 다양한 이유 때문에 거의 운동을 하지 않는다. 대부분의 사람들은 너무 바빠서 운동을 할 수 없다고 한다. 운동을 좋아하는 많은 사람은 운동을 얼마나 자주, 얼마나 많이 해야 하는지 궁금해한다. 다시 말하면, 건강함을 유지하기 위한 적절한 운동량은 얼마일까? 얼마라고 당신은 추측하는가? 일주일에 5일? 하루에 한 시간? 정답은 사람에 따라 다르다는 것이다. 모든 사람은 각자 체형이 다르다. 그것은 적정 운동 시간이 개인마다 다르다는 것을 의미한다. 많은 건강 전문가들은 어떤 운동이라도 안 하는 것보다 낫고, 비활동적인 것은 좋지 않다고 말한다. 그러나 가장 중요한 것은 목표를 갖고 그것을 향해 노력해야 한다는 것이다.

문제 해설

1 enough는 명사 앞, 형용사/부사 뒤에 놓인다. enough의 대표적인 구문은 〈enough+명사(A)+to부정사(B): B할 충분한 양의 A〉, 형용사/부사(A)+enough+ to부정사(B): B할만큼 충분히 A하다〉가 있다.

2 work out은 ④ exercise(운동하다)와 뜻이 같다.
① 공부하다 ② 먹다 ③ 요리하다 ⑤ 잠자다

3 빈칸 뒤에서 사람마다 체형이 달라서 적당량의 운동은 사람마다 다르다는 내용으로부터 빈칸에 들어갈 적절한 말은 ①이다.
① 그것은 사람마다 다르다.
② 우리는 긴 휴식을 취해야 한다.
③ 하루에 두 시간 동안 운동해야 한다.
④ 그들은 너무 많이 운동하지 말아야 한다.
⑤ 당신이 얼마나 운동하는지는 중요하지 않다.

직독 직해

1 다른 사람들은 / 거의 운동을 하지 않는다 / 다양한 이유 때문에
→ 다른 사람들은 다양한 이유 때문에 거의 운동을 하지 않는다.

2 대부분 사람들은 / 말한다 / 그들은 / 너무 바쁘다고 / 운동을 하기에
→ 그런 사람들의 대부분은 너무 바빠서 운동을 할 수 없다고 한다.

3 당신은 / 가져야 한다 / 목표를 / 그리고 / 노력하다 / 그것을 향해
→ 당신은 목표를 갖고 그것을 향해 노력해야 한다.

UNIT 08

01 식당 / 주문 / 삶은 / 토스트 / 부스러지다
칼 / 고체의 / 만지다 / 펴지다 / 복잡한

02 신문 / 이웃 / 인터뷰하다 / 어른 / 취미
전시하다 / 분배하다 / 인기 있는 / 꿈 / 어린 시절

03 명망 있는 / 상 / 패러디 / 웃다 / 불명예스러운
수치스러운 / 행사 / 받는 사람 / 발표하다 / 정장

---

1 boiled	2 newspaper	3 interview
4 award	5 shameful	

1 삶은: 삶은 계란 두 개 주세요.

2 신문: 당신만의 동네 신문을 만드세요.

3 인터뷰하다: 당신은 친구를 인터뷰할 수 있다.

4 상: 시상식은 하버드 대학교에서 열린다.

5 부끄러운: "Ignoble"은 불명예스럽거나 부끄러운 것을 뜻한다.

1 ⑤　　　　**2** ②　　　　**3** ④

1 ⑤　　　　**2** ④

3 have an interview with adults

본문 해석

한 남자가 식당으로 들어와서 주문했다. "좋은 아침입니다. 삶은 달걀 두 개랑 베이컨과 토스트를 주세요. 달걀 중 하나는 아주 덜 익어서 흘러내리게 해주시고요. 다른 하나는 아주 푹 익혀서 먹기에 딱딱하고 질기게 만들어 주십시오. 베이컨은 오래되고 차가운 것으로 원하고요. 토스트는 칼을 대자마자 부서지도록 태워주세요. 그리고 얼음처럼 딱딱해서 발라지지도 않는 버터도 주세요. 마지막으로 미지근하고 연해 빠진 커피도 한 잔이요." "음, 저기 손님, 그렇게 해 드릴 수 있을지 모르겠습니다. 그건 좀 복잡한 주문이라서요." "복잡하다고요? 무슨 소리를 하시는 거예요? 그것은 정확히 어제 당신이 나한테 준 것인데!"

문제 해설

1 남자는 오래되고 차가운 베이컨, 너무 심하게 구워 부서지는 토스트, 너무 딱딱해서 펴지지 않는 버터, 너무 연한 커피 등을 주문하는데, 이 주문 내용은 정확히 어제 남자가 먹은 음식을 묘사한 것이다. 남자가 언급하지 않은 내용은 ⑤이다.
2 남자의 주문 내용을 종합해보면, 어제 먹은 음식은 형편없었다는 것을 알 수 있으므로 정답은 ②이다.
3 빈칸은 주문 내용 중 가장 마지막 항목에 위치하므로 적절한 연결어는 ④ Finally(마지막으로)이다.
　① 그래서 ② 예를 들어 ③ 처음에 ⑤ 이제

직독 직해

1 만들어라 / 그 달걀 중 하나를 / 너무 덜 익은 상태로 / 그것이 흘러내리도록
　→ 달걀 중 하나는 아주 덜 익어서 흘러내리게 해주세요.
2 그것은 부서진다 / ~하자마자 / 내가 그것을 건드리자 / 칼로
　→ 그것은 칼을 대자마자 부서진다.
3 그것은 ~이다 / 정확히 / 것 / 당신이 나에게 준 / 어제
　→ 그것은 정확히 어제 당신이 나한테 준 것이다.

본문 해석

당신은 동네에서 무언가 재미있는 일을 해 보고 싶은가? 여기 재미있는 아이디어가 하나 있다. 당신의 동네 신문을 만들어 보아라. 당신은 그것이 어렵고 시간이 많이 걸릴 거라고 생각할 수도 있다. 그러나 그것이 대단한 신문일 필요는 없다. 단지 몇 페이지만 되면 충분하다. 신문 안에 주간 주제를 다룰 수 있다. 그 주의 화제 소식, 그 주의 유머, 그 주의 특별한 인물 말이다. 친구들을 인터뷰해서 그들의 꿈, 좋아하는 것, 그리고 그들의 취미가 무엇인지 알아 낼 수도 있다. 당신은 또한 어른들을 인터뷰해서 그들의 어린 시절의 꿈, 그리고 첫사랑에 대해서 물어 볼 수도 있다. 신문 만드는 것을 다 마치면 당신과 친구들이 그것을 배포하기 시작할 수 있다. 여러 가게에 가져가 가게 주인에게 신문을 비치해 달라고 부탁해라. 누가 아는가? 당신의 신문이 동네에서 가장 인기가 있게 될지!

문제 해설

1 동네 신문에 실을 수 있는 내용으로, 그 주의 화제, 그 주의 유머, 그 주의 특별한 인물, 친구의 취미와 꿈, 어른들의 어린 시절 꿈과 첫 사랑 이야기 등이 언급되었다. 유명인의 인터뷰는 언급되지 않았으므로 정답은 ⑤이다.
2 신문(the newspaper) 만들기를 끝냈으면, 그것(it)을 동네 가게로 가지고 가서 주인에게 비치해 달라고 부탁하라고 했으므로 밑줄 친 ⓐ it은 ④ the newspaper를 가리킨다.
3 have an interview with ~: ~와 인터뷰하다

직독 직해

1 당신은 원하는가 / 하기를 / 무언가 재미있는 것 / 당신의 동네에서
　→ 당신은 동네에서 무언가 재미있는 일을 하기를 원하는가?
2 당신이 끝낼 때 / 신문 만들기를 / 당신과 친구는 / 시작할 수 있다 / 그것을 배포하는 것을
　→ 신문 만드는 것을 다 마치면 당신과 친구들이 그것을 배포하기 시작할 수 있다.
3 그것을 가져가라 / 여러 가게로 / 그리고 / 가게 주인에게 부탁해라 / 그것을 비치해달라고
　→ 여러 가게에 가져가서 가게 주인에게 신문을 비치해 달라고 부탁해라.

본문 해석

모든 사람이 알다시피 노벨상은 세계에서 가장 권위 있는 상 중의 하나이다. 그러면, 이그 노벨상을 들어본 적이 있는가? 이그 노벨상은 노벨상을 패러디한 상이다. 그것은 사람들을 웃고 생각하게 만든다. 이 상의 이름은 'ignoble(수치스러운)'이라는 단어의 말장난이다. 그것은 '불명예스러운' 또는 '창피한'을 의미한다. 이 시상식은 진짜 노벨상 수상자가 발표되기 1~2주 전에 하버드 대학교의 샌더스 시어터(Sanders Theater)에서 열린다. 과거의 수상자 중에는 향기나는 양복의 발명가, 머피의 법칙을 만든 사람, 그리고 개에 사는 벼룩이 고양이에 사는 벼룩보다 더 높이 뛴다는 것을 발견한 연구자들이 있다.

문제 해설

1 이그노벨상 시상식은 진짜 노벨상 시상식 1~2주 전에 열린다고 했으므로 정답은 ②이다.
2 이그노벨상은 노벨상을 패러디한 상으로 웃고 생각하게 만든다고 했다. 이 상의 취지에 어울리지 않는 연구는 ③으로, 이것은 진짜 노벨상에 어울리는 연구이다.
3 is held는 ④ takes place(개최되다)와 뜻이 같다.
　① (전기 등을) 끊다 ② 따라잡다 ③ 나눠 주다 ⑤ ~할 계획이다

직독 직해

1 노벨상은 / 하나이다 / 가장 권위 있는 상들 중의 / 세계에서
　→ 노벨상은 세계에서 가장 권위 있는 상들 중의 하나이다.
2 이름은 / 그 상의 / 장난이다 / "ignoble"이라는 단어에 대한
　→ 이 상의 이름은 'ignoble'이라는 단어의 말장난이다.
3 그 시상식은 / 열린다 / 하버드 대학교 샌더스 시어터에서
　→ 그 시상식은 하버드 대학교의 샌더스 시어터에서 열린다.

Words Review
p. 090

| 1 lukewarm | 2 undercooked | 3 create |
| 4 display | 5 announce | |

1 미지근한
2 덜 익힌
3 만들다
4 전시하다
5 발표하다

UNIT 09

독해탄탄 VOCA Check 1
p. 092

01 여드름 / 악몽 / 십 대 / 과일 / 채소
　촉촉히 하다 / 문지르다 / 피부과 의사 / 깨끗한 / 피하다
02 주방 / 카드 / 하인, 고용인 / 기름투성이의 / 조각
　빵 / 샌드위치 / 배고픈 / 고기 / 식탁
03 보호하다 / 조직 / 재활용하다 / 팔다 / 쓰레기
　일회용의 / 세탁물 / 병 / (주방) 가구 / 접시

독해탄탄 VOCA Check 2
p. 093

| 1 vegetable | 2 avoid | 3 scrub |
| 4 piece | 5 garbage | |

1 채소: 과일과 채소를 많이 먹는 것은 좋다.
2 피하다: 우리는 어떻게 여드름을 피할 수 있을까?
3 문지르다: 얼굴을 너무 세게 문지르면, 여드름이 더 악화될 수 있다!
4 조각: 백작은 그에게 두 조각의 빵 사이에 고기를 좀 넣으라고 말했다.
5 쓰레기: 그것은 쓰레기 양을 줄이는 것을 도와준다.

01 | Health & Beauty
p. 095

| 1 ① | 2 ⑤ |
3 will help get rid of your acne

본문 해석

여드름에 대해 어떻게 생각하는가? 그것은 모든 십 대들에게는 악몽이다. 영어로는, 종종 이 상태를 zits(여드름)라고 한다. 십 대들은 여드름이 흔히 나지만 어른들도 날 수 있다. 그래서 그것을 치료하는 방법을 아는 것은 모든 사람에게 좋다. 어떻게 여드름을 피할 수 있을까? 먼저, 과일과 채소를 많이 먹는 것이 좋다. 그것들은 피부를 촉촉하게 하고 깨끗하게 하며 건강하게 유지하는 데 필요한 비타민과 미네랄을 공급해주는 데 도움을 준다. 얼굴에서 여드름을 발견하면 조금 더 자주 얼굴을 씻어야 한다. 하지만 반드시 순한 비누를 이용해서 부드럽게 씻어야 한다. 너무 세게 얼굴을 문지르면, 얼굴의 여드름이 더 악화될 수 있다! 여드름이 정말 심한 경우라면 피부과 의사를 찾아가는 것이 좋은 생각이다. 때로는 피부과 의사들이 여드름을 없애는 데 도움이 되는 약을 줄 수도 있다.

1 여드름 치료를 위해 과일과 채소를 많이 먹고, 얼굴을 자주 씻되 순한 비누를 써서 살살 문지르는 방법 등이 언급되었다. 이 글의 내용과 일치하는 보기는 ①이다.

2 여드름 치료를 위한 방법 중 첫 번째 항목 앞에 들어갈 수 있는 말로는 ⑤ First of all(먼저, 우선)이 적절하다.
① 결국 ② 하지만 ③ 마침내 ④ 그리고 나서

3 준사역동사 help 뒤에는 to부정사나 동사원형이 쓰인다.
get rid of: 제거하다

직독 직해

1 좋다 / 모든 사람들에게 / 아는 것이 / 치료하는 방법을 / 그것들을
→ 그것들을 치료하는 방법을 아는 것은 모든 사람들에게 좋다.

2 만일 / 당신이 / 발견한다면 / 몇 개의 여드름을 / 얼굴에서 / 당신은 / 씻어야 한다 / 당신의 얼굴을 / 좀 더 자주
→ 얼굴에서 여드름을 발견하면 조금 더 자주 얼굴을 씻어야 한다.

3 만일 / 당신이 / 얼굴을 문지른다면 / 너무 세게 / 여드름은 / 당신 얼굴 위의 / 더 심해질 것이다
→ 너무 세게 얼굴을 문지르면, 얼굴 위의 여드름이 더 심해질 것이다!

02 | Origin p. 097

1 ③	2 ②	3 ①

본문 해석

"엄마, 배고파요. 먹을 거 없어요?" "물론 있지! 식탁에 샌드위치가 있단다." "아, 감사합니다, 엄마!" 당신은 샌드위치 좋아하는가? 당신은 샌드위치가 어떻게 이름 갖게 되었는지 아는가? 오래 전에, 영국의 1700년대에 샌드위치 지방의 백작인 존 몬태규라는 이름의 한 남자가 있었다. 그는 카드 게임을 정말 좋아했다. 게임을 하는 동안 그는 배가 고파서 하인 중 한 명에게 먹을 음식을 가져오라고 했다. 하인은 "어떤 종류의 음식을 원하세요?"라고 물었다. 그러자, 그는 "뭔가 맛있는 것. 하지만 내가 게임을 하는 동안 내 손이 더러워지거나 기름이 묻는 것은 원하지 않네."라고 말했다. 처음에 그 하인은 뭘 해야 할지 몰랐다. 그래서 백작은 하인에게 두 조각의 빵 사이에 고기를 넣으라고 했다. 그렇게 해서 샌드위치라는 이름을 갖게 된 것이다. 즉, 백작의 이름을 따왔는데 그의 작위가 '샌드위치 백작'이었다.

문제 해설

1 이 글은 영국 샌드위치 지방의 백작이 카드 게임을 하다가 두 개의 빵 조각 사이에 고기를 넣어 먹게 되면서 샌드위치가 탄생하게 되었다는 내용으로 이 글의 주제로 가장 적절한 것은 ③이다.

2 샌드위치 백작은 그가 빵과 고기 간식을 먹는 동안 그의 손이 깨끗하기를 바랐다.
① 지저분한 ② 깨끗한 ③ 빛나는 ④ 기름진 ⑤ 따뜻한

3 샌드위치는 미국이 아니라 영국의 샌드위치 지방에서 유래되었으므로 일치하지 않는 것은 ①이다.

직독 직해

1 당신은 알고 있는가 / 어떻게 / 샌드위치가 / 그 이름을 갖게 되었는지
→ 당신은 샌드위치가 어떻게 그 이름을 갖게 되었는지 아는가?

2 오래 전에 / 영국에 / 한 남자가 있었다 / 존 몬태규라는 이름의
→ 오래 전에, 영국에 존 몬태규라는 한 남자가 있었다.

3 백작은 그에게 말했다 / 고기를 넣으라고 / 두 조각의 빵 사이에
→ 백작은 그에게 두 조각의 빵 사이에 고기를 넣으라고 했다.

03 | Environment p. 099

1 ⑤	2 ⑤	3 ②

본문 해석

환경을 보호하기 위해서 당신이 무엇을 할 수 있을까? 당신이 해야 하는 일은 큰 것이 아니다. 단지 지구에 조금만 더 관심을 두면 된다. 예를 들어, 현명하게 쇼핑하는 사람이 되는 것이 좋은 방법들 중 하나이다. 그렇다면, 어떻게 현명하게 쇼핑을 할 수 있을까? 현명한 구매자가 되기 위한 몇 가지 간단한 요령이 여기 있다. 첫째, 재활용이 되는 제품들을 사라. 요즘은 대부분의 슈퍼마켓에서 종이, 화장지, 쓰레기 봉지 등 재활용이 되는 제품들을 판매하고 있다. 둘째, 대량으로 사라. 대용량 음료수나 세제용품과 같이 더 많은 양의 제품을 사라. 그것들은 제품에서 나오는 쓰레기의 양을 줄여준다. 더 큰 용량을 살수록 더 적은 양의 상자를 버리게 된다. 셋째, 일회용품은 사지 마라. 종이 접시나 식기류(숟가락, 젓가락 등)들은 한 번 사용하고 나면 버려진다. 따라서 그것들은 단지 쓰레기만 더 만들어 낼 뿐이다. 마지막으로, 주방 세제나 다른 세제 용품들은 리필할 수 있는 것들로 사라. 그것은 쓰레기 양을 줄이고 돈을 절약하는 데 도움을 준다.

문제 해설

1 친환경 쇼핑 습관으로 재활용되는 제품 구입, 한 번에 대량으로 구입하기, 1회용 제품 사용 자제하기, 리필 가능한 제품 구입하기 등이 언급되었다. 천연재료로 만든 제품은 언급되지 않았으므로 정답은 ⑤이다.

2 대용량 제품을 구매하면 버려야 하는 포장 박스의 양이 줄어들어 그만큼 쓰레기가 줄어든다. 따라서 정답은 ⑤이다.
① 많은 돈이 절약된다.
② 쇼핑할 때 시간이 절약된다.
③ 대용량 제품의 대부분은 일회용이다.
④ 대용량 제품의 대부분은 재활용될 수 있다.
⑤ 당신이 만드는 쓰레기의 양이 줄어든다.

3 현명한 소비자가 되는 것은 환경을 보호하는 한 가지 예가 될 수 있으므로 빈칸 (A)에는 예시를 나타내는 연결어가 들어가야 한다. 빈칸 (B) 뒤의 large soda bottles and laundry

soap boxes는 Things의 예가 될 수 있으므로 예시를 나타내는 전치사가 들어가야 한다. 두 가지를 종합했을 때 정답이 될 수 있는 것은 ②이다.

	(A)	(B)
①	마찬가지로	~대신에
②	예를 들어	~와 같은
③	다시	마찬가지로
④	또한	~대신에
⑤	그러나	~와 같은

직독 직해

1 당신이 해야 하는 것 / ~이 아니다 / 큰 것
→ 당신이 해야 하는 일은 큰 것이 아니다.

2 현명하게 쇼핑하는 사람이 되는 것 / ~이다 / 그런 방법들 중 하나
→ 현명하게 쇼핑하는 사람이 되는 것이 그런 방법들 중 하나이다.

3 그것은 돕는다 / 줄이는 것 / 쓰레기의 양을 / 그리고 / 당신의 돈을 절약한다
→ 그것은 쓰레기 양을 줄이는 것과 당신의 돈을 절약하는 데 도움을 준다.

Words Review   p. 100

1 avoid	2 servant	3 treat
4 reduce	5 preserve	

1 피하다
2 하인, 고용인
3 치료하다
4 줄이다
5 보존하다

 UNIT 10

독해탄탄 VOCA Check 1   p. 102

01 침실, 방 / 창문 / 구름 / 다가오다 / 공포
번쩍임 / 흔들리다 / 폭풍 / 느긋한, 편안한 / 천둥

02 해바라기 / 꽃잎 / 중앙 / 광선 / 요정
마차 / 일출 / 경배 / 연민, 동정 / 상징

03 (눈물을) 흘리다 / 외치다 / 숨기다 / 삼키다 / 악어
먹이 / 턱 / 젖은 / 슬픔 / 눈

독해탄탄 VOCA Check 2   p. 103

1 fear	2 shake	3 sunflower
4 shed	5 sadness	

1 두려움: 당신은 천둥과 번개에 대한 두려움이 있다.
2 흔들리다: 갑자기 당신의 방이 흔들리기 시작한다.
3 해바라기: 해바라기는 어떻게 그 이름을 얻었을까?
4 흘리다: 악어는 먹이를 삼키면서 눈물을 흘린다.
5 슬픔: "악어의 눈물"은 거짓된 슬픔을 나타낸다.

01 | Psychology   p. 105

1 ①	2 thunder, lightning
3 ②	

본문 해석

늦은 밤이다. 당신은 침실 창문 밖을 내다보고 먹구름이 다가오는 것을 본다. 너무 어둡고 춥다. 이런, 비가 오기 시작한다! 갑자기 당신은 굉장한 소리를 듣고 당신의 방이 흔들리기 시작한다. 그러면 당신은 소리를 지를 수도 있다. "세상에! 내 방이 흔들려. 어떻게 해야 하지?" 그리고 나서 당신은 하늘에서 섬광을 본다. 당신은 그 광경과 소리의 정체가 천둥과 번개라는 것을 안다. 하지만 당신은 두렵다. 아무 생각도 할 수 없다. 당신은 무서워서 침실 벽장으로 숨으러 달려간다. 당신은 폭풍이 멈추기만 기다린다. 폭풍이 끝나고 나서야 당신은 벽장에서 나오고 안심할 수 있다. 그러면 당신은 자기 자신이 천둥과 번개에 대한 두려움을 가지고 있다는 것을 알게 된다.

문제 해설

1 이 글에서 먹구름이 다가오고, 비가 내리기 시작하고, 천둥 소리가 들리고 마지막으로 번개가 치는 순서로 사건이 전개되고 있다. 따라서 정답은 ①이다.
2 이 글의 마지막에서 주인공이 천둥(thunder)과 번개(lightning)를 무서워한다는 것을 알 수 있다.

3 relaxed는 ② calm(느긋한)과 의미가 같다.
① 걱정하는 ③ 헷갈리는 ④ 화난 ⑤ 두려운

직독 직해

1 당신은 본다 / 당신의 침실의 창 밖을 / 그리고 / 당신은 본다 / 먹구름이 / 다가오는 것을

→ 당신은 침실 창문 밖을 내다보고 먹구름이 다가오는 것을 본다.

2 당신은 / ~을 기다린다 / 폭풍 / 끝나기를

→ 당신은 폭풍이 끝나기를 기다린다.

3 단지 ~할 때만(~해서야) / 폭풍이 끝난다 / 당신은 ~할 수 있다 / 당신의 벽장에서 나온다 / 그리고 / 안심한다

→ 폭풍이 끝나야만 당신은 벽장에서 나오고 안심할 수 있다.

02 | Myth
p. 107

1 ⑤	2 따뜻함, 애정, 길고 행복한 삶
3 ①	4 ④

본문 해석

해바라기는 어떻게 그런 이름을 가지게 되었을까? 그건 아마도 해바라기가 마치 태양의 밝은 광선처럼 가운데에서 나오는 노란색의 환한 꽃잎을 지니고 있기 때문일 것이다.

(C)

그리스 신화에 해바라기에 관한 전설도 또한 있다. 어느 날 물의 요정 클뤼티에가 태양의 신인 아폴로가 태양 수레를 타고 하늘을 날아가는 것을 보았다.

(B

그녀는 그를 보자마자 그와 깊은 사랑에 빠졌다. 하지만, 아폴로는 그녀를 좋아하지 않았다. 그래서 그녀는 그저 앉아서 해가 뜰 때부터 질 때까지 하늘을 올려다보았다.

(A)

마침내, 신들이 그녀를 불쌍히 여겨 그녀를 해바라기로 만들어주었다. 이런 이유로 해바라기는 따뜻함과 애정의 상징으로 여겨지고 있으며, 또한 길고 행복한 삶의 표시로도 여겨진다.

문제 해설

1 (C)는 클뤼티에가 아폴로를 처음 보게 된 사건을, (B)는 클뤼티에가 아폴로를 보고 사랑에 빠져 아폴로가 다니는 하늘길만 바라보는 상황을, (A)는 신들이 클뤼티에를 불쌍히 여겨서 해바라기로 만들었다는 내용이 나오고 있다. 따라서 자연스러운 글의 순서는 ⑤이다.

2 (A)에서 해바라기는 따뜻함, 애정, 길고 행복한 삶을 상징한다고 되어있다.

3 클뤼티에는 물의 요정이지 달을 움직이는 여신이 아니다. 따라서 정답은 ①이다.

4 legend의 뜻으로 용감한 인물들과 마법같은 사건에 관한 오래된 이야기라고 풀이한 ④가 가장 적절하다.

① 위대한 사랑과 동경
② 무엇인가를 표현하는 표시
③ 해 또는 달로부터 오는 광선
④ 용감한 사람들이나 마법같은 사건에 관한 오래된 이야기
⑤ 여자의 모습으로 나타나는 정령

직독 직해

1 어떻게 / 해바라기는 얻었는가 / 그 이름을

→ 해바라기는 어떻게 그 이름을 얻었는가?

2 마침내 / 신들은 / 불쌍히 여겼다 / 그녀를 / 그리고 / 그녀를 바꾸었다 / 해바라기로

→ 마침내 신들은 그녀를 불쌍히 여겨 해바라기로 바꾸었다.

3 ~하자마자 / 그녀가 그를 보았다 / 그녀는 / 사랑에 깊이 빠졌다 / 그와

→ 그녀는 그를 보자마자 그와 깊이 사랑에 빠졌다.

03 | Expressions
p. 109

1 ④

2 입을 벌리고 턱을 움직일 때 눈물샘에 압력이 가해져서

3 ②

본문 해석

"오 악마, 악마여! 대지가 여자의 눈물로 가득 찬다면, 그녀의 떨어지는 눈물방울은 악어로 변할 것이오. 꺼져버려"

셰익스피어의 '오셀로(Othello)'의 마지막 장면에서 오셀로는 아내의 눈물을 보고 위의 대사를 외친다. 오셀로는 그녀가 자신의 진실된 감정을 속이게 위해 눈물을 흘린다고 생각한다. 그런데 왜 악어일까? 이 개념은 악어가 먹이를 잡거나 삼킬 때 눈물을 흘린다는 오랜 이야기에서 비롯된다. 사실, 악어는 미안함을 느껴서 우는 것이 아니다. 그것들이 입을 벌리고 턱을 움직일 때 이 행동이 눈물샘에 압력을 가하게 된다. 그리고 눈물샘에서 나오는 눈물은 눈을 깨끗하고 촉촉한 상태로 유지해준다. 따라서 '악어의 눈물'이라는 용어는 거짓된 슬픔의 표현을 나타낸다.

문제 해설

1 '악어의 눈물'은 흔히 진실되지 못한 거짓된 눈물을 가리킬 때 사용된다.

2 악어는 입을 벌리고 턱을 움직일 때 눈물샘이 자극을 받아 눈물을 흘린다.

3 빈칸 앞에는 악어가 먹이를 삼킬 때 눈물을 흘린다는 설이 소개되었는데, 빈칸 뒤에서 악어가 눈물을 흘리는 진짜 이유가 나오고 있다. 따라서 적절한 연결어는 ② In fact(사실은)이다.
① 예를 들어 ③ 그러므로 ④ ~를 대비해서 ⑤ 정말로

1 오셀로는 / 외친다 / 위의 대사를 / ~할 때 / 그가 본다 / 자신의 아내의 눈물을

   → 오셀로는 아내의 눈물을 보고 위의 대사를 외친다.

2 이 개념은 / ~에서 유래된다 / 오래된 이야기 / ~라는 / 악어가 눈물을 흘린다 / 잡거나 삼킬 때 / 그들의 먹이를

   → 이 개념은 악어가 먹이를 잡거나 삼킬 때 눈물을 흘린다는 오래된 이야기에서 유래된다.

3 그 눈물은 / 샘에서 나오는 / 유지한다 / 눈을 / 깨끗하고 촉촉하게

   → 눈물샘에서 나오는 눈물은 눈을 깨끗하고 촉촉하게 유지한다.

Words Review		p. 110
1 approach	2 afraid	3 sunrise
4 tear	5 swallow	

1 접근하다

2 두려운

3 일출

4 눈물

5 삼키다

Workbook Answers p. 111~131

UNIT 01

A

1	물음, 질문	11	exactly
2	계속하다	12	voice
3	응답, 대답	13	invent
4	현대의	14	camel
5	만들다, 발명하다	15	germ
6	인기 있는	16	northern
7	뜻하다, 나타내다	17	relation
8	예, 예시	18	notice
9	~를 잘하다	19	emotional
10	잘못되다	20	undoubtedly

B

1 million, minute, dollars, penny, wait
2 toothbrush, origin, hairs, rough, germs, bacteria, catching
3 intelligence, emotional, learns, subject, relationships, temper, communicating

UNIT 02

A

1	다른	11	purpose
2	상징	12	happiness
3	밝은	13	however
4	유명한	14	coin
5	전설	15	beauty
6	사실	16	throw
7	혼합물	17	cure
8	증명하다	18	pharmacy
9	주의하는	19	invent
10	질병	20	continue

B

1 jealousy, friendship, warmth, romance, cheer up
2 legend, folklore, throwing, return, married, collected
3 soft drink, carbonated, cure, pharmacy, cavities

UNIT 03

A

1	딸	11	horrible
2	넣다, 놓다	12	germ
3	잡다	13	fail
4	더러운	14	wooden
5	제공하다	15	accept
6	군인	16	realize
7	~처럼 보이다	17	destroy
8	가려운	18	sting
9	알레르기가 있는	19	as soon as possible
10	진통제	20	burn

B

1 picked, asked, full, Test, become, fail
2 army, gift, hiding, won, helpful, destroys
3 stung, painful, needle, painkillers, allergic

UNIT 04

A

1	영웅	11	mythology
2	평범한	12	poisonous
3	실패하다	13	problem
4	소리 없는	14	reason
5	끔찍한	15	embarrassing
6	제품	16	treat
7	환경	17	living
8	불필요한	18	important
9	의학의	19	play a role
10	실험실	20	protect

B

1 god, human being, die, alive, dead
2 fart, smell, prescription, pills, worse, cured
3 rights, pleasure, experiments, Furthermore, creatures, protect

UNIT 05

A

1	조언, 팁	11	stress
2	걱정하다	12	in other words
3	자선	13	reason
4	생각하다	14	save
5	흔한	15	promise
6	불가능한	16	habit
7	쪼개다	17	stick to
8	흔들다	18	facial
9	움직임	19	expression
10	외국의	20	completely

B

1 reduce, frown, save, Practice, instead of, greed
2 postpone, important, best, break, concentrate
3 body language, gestures, difficulties, same, different, side to side, palm

UNIT 06

A

1	가르치다	11	on the other hand
2	쓰다	12	instead of
3	살다	13	cover
4	정의, 뜻	14	square
5	(호수 등) 수역	15	define
6	담수, 민물	16	volume
7	졸업반의	17	get off
8	끄다	18	come up with
9	떨어지다	19	law
10	중력	20	waste

B

1 right-handed, left-handed, on average, polar bears, longer
2 surrounded, enclosed, connected, surface, square, volume, cubic
3 ceiling, wearing, your age, hair, light bulb, gravity

UNIT 07

A

1	어지러운	11	fascinating
2	솟아오르다	12	memory
3	나무로 된	13	take part in
4	비행	14	international
5	제공하다	15	look up
6	믿음	16	forget
7	~ 동안에	17	toilet paper
8	건강한	18	barely
9	전문가	19	shape
10	궁금하다	20	various

B

1 balloons, floated, peaks, unforgettable, take part
2 exams, wash, forget, superstitions, toilet paper, false
3 work out, busy, proper, shape, differs

UNIT 08

A

1	너무 익힌	11	runny
2	딱딱한	12	frozen
3	복잡한	13	lukewarm
4	이웃	14	special
5	가장 좋아하는	15	adult
6	주인, 소유자	16	childhood
7	수치스러운	17	take place
8	행사	18	include
9	발표하다	19	recipient
10	상	20	inventor

B

1 boiled, undercooked, crumbles, spread, weak, exactly
2 newspaper, weekly, interview, dreams, distribute, display
3 prestigious, parody, play, shameful, include

UNIT 09

A

1 여드름
2 상태
3 무기질, 미네랄
4 10대 청소년
5 가져오다
6 백작
7 하인, 고용인
8 물질
9 환경
10 일회용의
11 medicine
12 vitamin
13 mild
14 moisturize
15 piece
16 tasty
17 organization
18 recycle
19 smartly
20 refill

B

1 nightmare, treat, moisturized, gently, scrub, medicine
2 name, Sandwich, food, greasy, in between
3 preserve, concerned, recycled, in bulk, garbage, once, refill

UNIT 10

A

1 벽장
2 소리치다
3 보이는 것
4 달려가다
5 동정
6 여기다
7 일몰
8 턱
9 ～로 드러나다
10 ～을 가리키다
11 relaxed
12 shake
13 afraid
14 terrible
15 sunrise
16 fall in love with
17 petal
18 prey
19 sadness
20 shed

B

1 approaching, flashes, thunder, lightning, storm, fear
2 sunflowers, rays, sun, love, looked up, adoration
3 tears, hide, shed, sorry, pressure, false

MEMO

초등부터 중등까지
모든 독해의 확실한 해결책

THIS IS
READING
Starter

★ Guess What? 코너를 통해 **창의성 개발과 함께 배경지식 확장**

★ 독해탄탄 VOCA Check 1, 2 코너를 통해 **독해 기초 탄탄 훈련**

★ 어휘를 쉽게 암기하고 오래 기억에 남게 하는 **이미지 연상 학습**

★ 독해를 잘하는 비법! 영어의 어순대로 공부하는 **직독직해 훈련**

★ 다양한 지문과 문제를 통해 **중등 내신 + 서술형 문제 완벽 대비**

★ 각각의 문제 유형 제시를 통한 **기초 수능 실력 완벽 대비**

★ Words Review 코너 및 영영풀이 문제를 통해 **기초 독해 실력 탄탄**

★ 원어민의 발음으로 듣는 전체 지문 **MP3 제공**

	초1	초2	초3	초4	초5	초6	중1	중2	중3	고1	고2	고3

Writing

공감 영문법+쓰기 1~2

도전만점 중등내신 서술형 1~4

영어일기 영작패턴 1–A, B · 2–A, B

Smart Writing 1~2

Reading

Reading 101 1~3

Reading 공감 1~3

This Is Reading Starter 1~3

This Is Reading 전면 개정판 1~4

원서 술술 읽는 Smart Reading Basic 1~2

원서 술술 읽는 Smart Reading 1~2

[특급 단기 특강] 구문독해 · 독해유형

[앱솔루트 수능대비 영어독해 기출분석] 2019~2021학년도

Listening

Listening 공감 1~3

The Listening 1~4

After School Listening 1~3

도전! 만점 중학 영어듣기 모의고사 1~3

만점 적중 수능 듣기 모의고사 20회 · 35회

TEPS

NEW TEPS 입문편 실전 250⁺ 청해 · 문법 · 독해

NEW TEPS 기본편 실전 300⁺ 청해 · 문법 · 독해

NEW TEPS 실력편 실전 400⁺ 청해 · 문법 · 독해

NEW TEPS 마스터편 실전 500⁺ 청해 · 문법 · 독해